ÉTVDES

revue mensuelle fondée en 1856
par des Pères de la Compagnie de Jésus

Rédacteur en chef   HENRI MADELIN
Rédactrice en chef adjointe   FRANÇOISE LE CORRE
Secrétaire de rédaction   DOMINIQUE GEAY-HOYAUX

Comité de rédaction

NICOLE BARY – FRANÇOIS BOËDEC – DOMINIQUE CUPILLARD
FRANÇOIS DENOËL – FRANÇOIS ERNENWEIN
PIERRE FAURE – FRANÇOIS GAULME – EMMANUELLE GIULIANI
BRICE LEBOUCQ – JOSEPH MAÏLA – GUY PETITDEMANGE
JEAN-PIERRE ROSA – PATRICK VERSPIEREN

Revue des livres

GUY PETITDEMANGE

Conseillers

JEAN-MICHEL BELORGEY – PIERRE-NOËL GIRAUD
DAVID KESSLER – MICHEL RONDET – JACQUES SOMMET
CHRISTOPH THEOBALD – PIERRE VALLIN

Direction, administration, promotion

JEAN-PIE...

Publicité (Martine Cohen@bayard-
Mise en pages   CL...
Rédactrice graphiste
Maquette   DAN...

Revue de Assas Editions, association loi 1901.
Editée par la SER, société anonyme (principaux actionnaires : SPECC, Bayard Presse).
Président du Conseil d'administration et Directeur de la publication : Pierre Faure s.j.
Direction générale : Jean-Pierre Rosa.
Publié avec le concours du Centre National du Livre.

ÉTVDES

14, RUE D'ASSAS – 75006 PARIS – TÉL. : 01 44 39 48 48 – ABONNEMENTS : 01 44 21 60 99
Le n° : 10 € – Etranger : 11 € – Numéros anciens : même tarif – Abonnements (voir dernière page)
E-mail : etudes@jesuites.com — Site : http://pro.wanadoo.fr/assas-editions/

ÉTUDES

« Comment entendrez-vous les choses d'en h

Au sommaire du prochain numéro :

La discrimination positive en France - Les grandes personnes
Les cathédrales et les églises, entre culte et culture

ÉTVDES

Le Caucase
un nouvel enjeu mondial

La revue ETUDES invite lecteurs et amis

**le jeudi 13 février 2003
de 19 h 30 à 21 h 30**

à une rencontre-débat avec

ALEXANDRE ADLER
Éditorialiste, conseiller à la Présidence du "Figaro"

SEMIH VANER
CERI-Sciences-Po, spécialiste de la Turquie

au Centre Sèvres - 35bis, rue de Sèvres - 75006 Paris

La rencontre sera animée par
HENRI MADELIN, **jésuite, rédacteur en chef des "Études"**

Références de lecture
ETUDES, février 2002 - articles de A. ADLER et S. VANER

*Nombre de places limité
Retransmission vidéo assurée*

Le retour du politique

Henri Madelin

U N CERTAIN libéralisme économique, vainqueur du communisme, se voulait libéré de toutes les entraves antérieures et aspirait à dicter sa loi au monde entier. Désormais suspecté, il est soumis à examen dans les temples sacrés de l'Amérique. Le règne d'une économie débridée, libérée de toute entrave politique, avançant sans frein ni régulation publiques, rencontre la mauvaise humeur des opinions et l'inquiétude des gouvernants. Les scandales suscités par l'affaire Enron en ont été le signe annonciateur outre-Atlantique. L'économie inquiète. Le politique est de retour.

Dans sa *Théorie de la Justice,* John Rawls, récemment disparu, rajeunit l'antique formulation du *Contrat social,* matrice des libertés individuelles et collectives dans les philosophies politiques. Il présuppose un « voile d'ignorance » où nul ne connaît, par hypothèse, la place qu'il occuperait dans la future association. A l'abri de ce voile, les principes choisis établiraient que « chaque personne doit avoir un droit égal au système total le plus étendu de liberté de base, égale pour tous et compatible avec un même système pour tous ». Dès lors, chacun doit pouvoir atteindre « des fonctions et des emplois accessibles à tous dans des conditions impartiales d'égalité des chances ». Les inégalités ne pourraient être justifiées que si « elles tournent au plus grand profit des plus défavorisés ».

Rédacteur en chef.

Nous sommes encore balbutiants pour mettre en pratique de tels principes. Mais leurs exigences demeurent notre utopie de base et indiquent notre horizon. Comprendre notre infidélité actuelle à cette matrice, c'est repérer quelques terrains décisifs où la démocratie est en jeu : régulation des marchés, besoin de sécurité d'un type nouveau, menaces terroristes et climat de guerre. Un spécialiste reconnu des mécanismes de l'économie, Anton Brender, ne tire-t-il pas la sonnette d'alarme dans un livre récent, *Face aux marchés, la politique ?* « Myopes comme des taupes », les marchés, selon lui, sont parfaitement incapables de guider le mouvement de nos économies, comme d'ailleurs d'en préserver le dynamisme... « Sans une implication attentive de la puissance publique, la finance mène naturellement au désastre. »

Ajoutons que la faiblesse de la croissance actuelle conduit à des exclusions, lesquelles engendrent une violence qui pousse à la répression, entretenant un sentiment d'insécurité. « Nos appareils, policier, judiciaire et pénitentiaire, n'ont pu suivre, précise notre auteur : ni en quantité – nos prisons sont pleines, nos juges n'ont pas le temps de juger et nos policiers ne semblent plus suffire ; ni, souvent, en qualité : si l'on veut briser le cercle par lequel la répression entretient la violence, il faut imaginer une autre prison, une autre police et peut-être d'autres juges... » (p. 155-156).

Est ainsi désignée une tâche délicate pour la nouvelle direction politique que les Français se sont donnée aux élections présidentielles et législatives de 2002. Afin de répondre à un sentiment d'insécurité, qui n'est plus tourné vers nos frontières géographiques, mais à l'intérieur de la nation et au plus profond des êtres, il faudra intervenir, corriger, inventer, sans marquer au front des victimes désignées, sans « criminaliser la misère » ni suspecter systématiquement des segments de la population tombés dans la précarité.

Les difficultés ne viennent pas seulement des faiblesses de la croissance économique, mais aussi du surgissement d'une hydre que l'on pensait disparue : le terrorisme. On le croyait éliminé de nos sociétés, alors qu'il vient de faire un retour en force sur le devant de la scène internationale. Il profite des frustrations enfouies dans le cœur des humiliés de la planète, combine méthodes artisanales et recours aux techniques les plus sophistiquées de notre époque, instrumentalise même la religion, pour en faire le point d'honneur spiritualiste d'une idéologie totalitaire qui refuse tout compromis avec l'adversaire. Devant son agitation sournoise et sa manière de prendre en otages des groupes et des peuples désemparés, une réaction globale est indispensable ; elle ne peut être que politique.

La noblesse de la politique n'est-elle pas de savoir prendre en compte et analyser les ressorts de cette peur, qui naît de l'affrontement avec la différence que chacun perçoit chez l'autre ? La peur de l'autre, mauvaise conseillère, commence généralement par la peur d'avoir peur. Elle provoque le désir de guerre, comme on le voit pour l'Irak. Mais, la politique raisonnable consiste à ne faire de celle-ci que l'*ultima ratio*. La guerre, toujours, demeure une défaite de la pensée et de l'invention. Elle ne saurait donc être concédée qu'après une analyse scrupuleuse de toutes les solutions pacifiques possibles et de leurs coûts respectifs. Elle ne doit pas aboutir à un désastre plus ample que l'état présent des choses. C'est, en somme, à éviter de tels déboires qu'ont déjà travaillé les diplomates français dans l'enceinte de l'ONU, au service d'un Bien commun universel. En attendant d'autres développements tendus, qui ne vont pas manquer de surgir au cours des prochaines semaines, reste que l'affrontement politique demeure le meilleur antidote à l'ivresse guerrière, et son substitut le plus efficace.

Dans cette conjoncture difficile, oscillant entre paix désirable et guerre menaçante, quelle peut être la tâche propre à *Etudes* ? Faire entrer ses lecteurs dans les enjeux de la politique nationale et internationale avec le plus d'atouts possibles. Leur donner des outils au service de la liberté de leurs choix. Chaque mois, nous nous efforçons, par nos diverses rubriques, d'ouvrir devant vous le grand livre du monde, pour tenter de présenter l'ampleur des questions actuelles, la manière dont elles s'originent, les futurs qu'elles semblent dessiner. Découvrir, soupeser, hiérarchiser, prévoir... Nous pensons que « la connaissance des astres est sans effet pour les astres eux-mêmes, tandis que la connaissance de l'homme a des conséquences pour l'être de l'homme. Elle est une connaissance transformante » (J. Moltmann).

Prendre du temps, investir pour s'informer, déchiffrer la réalité, sont des actes politiques. Leurs effets additionnés ne conduisent-ils pas à changer les orientations de ce qui apparaissait, de prime abord, comme le déroulement implacable d'un destin inexorable ? Comme le disait le jeune Marx face à des adversaires enfoncés dans la myopie des bons sentiments : « L'ignorance n'a jamais servi personne. » Et, plus près de nous, Walter Benjamin, qui a payé de son exil et de sa mort l'aveuglement de l'extrémisme nazi et le repli frileux des démocraties face à l'adversité, sait pourtant qu'au milieu des dangers la politique doit être une sorte de vigie : « Chaque époque ne rêve pas seulement de la prochaine, mais, en rêvant, elle s'efforce de s'éveiller. »

Comme vous pourrez le constater, la nouvelle présentation graphique qu'inaugure ce numéro de janvier 2003 traduit notre désir de faciliter la lecture de la revue et de mettre en évidence la division tripartite du contenu : les « articles », ordonnés selon les rubriques *International, Sociétés, Essais, Religions et spiritualités, Arts et littérature* ; les « Carnets », regroupant les chroniques culturelles ; les « Figures Libres », où différentes personnalités sont invitées à s'exprimer chaque mois, selon des thèmes et des points d'attention très variés.

Le numéro de janvier souligne d'emblée ce retour du souci et de la volonté politiques selon quatre approches : les graves déséquilibres planétaires conduisant à expliquer les ressentiments anti-américains qui sont les nôtres (Dominique David) ; les espoirs fondés que l'on peut formuler pour remettre sur les rails une Afrique lentement éconduite (Michel Rocard) ; les exigences nouvelles obligeant à un sursaut démocratique (Jean-Yves Calvez) ; avec la Cour Pénale Internationale (CPI) va naître prochainement une nouvelle juridiction à vocation universelle : « Pendant les massacres, le droit court toujours » pourrait être sa devise (Sylvie Koller).

On retrouve cette dialectique du public et du privé avec une question qui a brutalement envahi notre champ de conscience, ici et ailleurs ; une psychanalyste évoque, telle qu'elle l'entend, le désastre de la pédophilie dans les mémoires blessées et les miroirs proposés à chacun dans une société de prolifération médiatique (Cécile Sales). Des « attentes de Dieu » très personnelles, perçant dans la laïcité ambiante, s'expriment dans les « Figures libres » ; elles éclatent dans l'allégresse venue d'une musique qui chante la louange : « L'ange de Dieu est là qui souffle dans la violence des flammes comme une fraîcheur de brise et de rosée... » (Philippe Charru).

Un texte roboratif de l'ancien Maître général des Dominicains, Timothy Radcliffe, montre le chemin qui reste à accomplir pour que, avec la vigueur qui lui est propre, la Parole de Dieu transmise par une prédication publique, elle aussi, atteigne chacun dans les lieux de son propre questionnement.

Avec l'équipe de la Rédaction, je vous présente mes vœux les meilleurs pour l'année 2003.

HENRI MADELIN s.j.

Pourquoi sommes-nous
« anti-américains » ?

▌ Dominique David

L E COUP porté à l'Amérique en septembre 2001 eût dû resserrer les rangs d'une Alliance transatlantique occupée à se reconstruire une popularité sur de multiples demandes d'élargissement. Un an plus tard, il n'est pourtant bruit que d'anti-américanisme. Le terme est médiatique, et les positions des Européens contrastées. Mais les sondages publiés lors de la visite du président Bush en Europe, au printemps dernier, sont clairs. Ils expriment de surprenantes réticences — par exemple en Allemagne, cette Allemagne à qui Bush père offrait, il y a un peu plus de dix ans, un « partenariat pour mener l'Alliance ». Quelles analyses de raison, quels résidus culturels expliquent ces dissonances européennes ?

Une masse brute et souple

Il faut bien partir de la position singulière de l'Amérique, celle d'une masse dominante, sans égale. Sa dynamique se traduit d'abord par une capacité d'accumulation, dont témoignent les budgets de défense. Un Français demeure songeur à l'idée que le seul budget de défense des Etats-Unis, hors augmentations décidées fin 2001, équivaut à la totalité du budget de la République... Son poids même installe désormais cette puissance sur une échelle très différente de celle où s'inscrivent nos propres élé-

▌ Responsable des Etudes de sécurité à l'Institut français des relations internationales (Ifri, Paris). Professeur à l'Ecole spéciale militaire de Saint-Cyr. A
publié, en 2002, *Sécurité : l'après-New York,* aux Presses de Sciences-Po.

ments de force. Sans doute nous consolons-nous en répétant que cette masse, surtout dans le domaine de la défense, trahit un réflexe d'empilement sans grand sens stratégique. Son caractère unique l'impose néanmoins comme un élément central de notre vision de l'environnement international. Cet environnement est désormais dominé par un acteur qui ne joue plus dans le même champ quantitatif, donc qualitatif, que nous ; et qui, sans doute, ne pense plus dans le même champ logique.

Les Etats-Unis produisent, seuls, de la puissance dans tous les grands domaines : diplomatique, militaire, économique, culturel et technologique. Dans chacun ils proposent biens, normes, références ; ou bien disposent de moyens de blocage ou de contrôle des autres acteurs. Les pays de l'Union européenne, même importants, ne produisent des éléments de puissance que dans certains domaines ou dans certains espaces de ces domaines. Les Etats-Unis sont une puissance globale, quand les Européens ne manient que des puissances partielles. On peut, bien sûr, jouer largement de ces maîtrises partielles, et ils le démontrent tous les jours. Mais la différence provoque un complexe qui pèse lourd dans les rapports transatlantiques.

La puissance américaine se définit aussi par sa capacité à être présente, ou à se projeter, dans les zones stratégiques majeures de la planète — même si l'espace qui importe soudain n'est pas une zone de référence habituelle : Afghanistan, Asie centrale... Cette capacité à contrôler la géographie stratégique des crises, Washington en dispose seule, même si elle ne lui donne pas forcément le pouvoir de maîtriser ces crises. Le débat européen est autre, et tente d'identifier les zones d'éventuelles interventions politiques, économiques ou militaires. On dispute de la largeur de l'arrière-cour européenne ; son extension tous azimuts est hors de question. Il s'agit de savoir si l'UE pèsera en Afrique, au Moyen-Orient, quelque part dans l'ancien espace soviétique ou en Baltique — et non si elle interviendra en mer de Chine ou au Pakistan...

Impressionnante, étrange de massivité, la puissance américaine nous défie aussi de sa paradoxale souplesse. Européens, nous saisissons parfois mal ses modes d'expression, ses stratégies. La multiplicité des institutions (Président, conseillers, Congrès, groupes de pression, *think tanks*...) qui produisent ces stratégies ou les mettent en discours, leur donne parfois un aspect baroque, contradictoire. Plus au fond, c'est bien l'articulation entre les divers moyens s'ordonnant dans une stratégie nationale qui, dans le cas de l'Amérique, nous échappe ; et, par exemple, la manière dont se rejoignent, sans mécanisme clairement discernable, les manœuvres des acteurs publics et celles des acteurs privés. Toute puissance s'exprime à travers de multiples acteurs. Leur réunion dans un projet commun est cependant plus visible, plus revendiquée, dans la culture européenne que dans la logique américaine.

D'où la perplexité européenne (française en particulier) devant l'activité, en Afrique, au Caucase ou en Asie centrale, d'entités qui sont la puissance des Etats-Unis sans être les Etats-Unis. Habitués aux catégories classiques de l'action d'Etat, nous sommes là devant une puissance aux expressions diverses. Elle agit au travers d'acteurs mal identifiables à leur Etat de référence (les « majors » pétrolières dans le Caucase, d'autres entreprises en Afrique centrale), qui projettent des moyens correspondant à des intérêts ponctuels, sans raisonner en termes de contrôle ou de conquête politique de l'espace. Cette souplesse du géant suggère de revoir notre propre approche de la puissance, qui valorise l'expression de l'Etat à travers des objets majoritairement diplomatiques et guerriers.

L'obsession technologique

Les Etats-Unis ont, du moins durant le dernier siècle, installé la dimension scientifique et technologique au cœur de leurs stratégies économiques et militaires. L'habitude de placer le progrès technique au cœur de la puissance (avec, en contrepoint, la célèbre tentation de réduire tout problème stratégique à une solution technique) ; la circulation entre secteurs civil et militaire, qui est traditionnellement plus intense outre-Atlantique qu'en Europe ; le net décrochage des crédits de recherche et développement américains par rapport aux montants européens ; la relative impuissance des Européens à concrétiser en produits et en systèmes leur remarquable dynamisme scientifique : tous ces facteurs expliquent la domination américaine et l'annoncent pérenne. En particulier dans le domaine-roi, désormais, des sciences et techniques de l'information.

Cette domination technique a des effets stratégiques lourds. Si l'on combine l'existence d'une recherche dynamique qui leur assure la maîtrise de certains domaines, le développement des techniques et systèmes correspondants, le contrôle de réseaux (l'Alliance atlantique, par exemple) qui leur permet de généraliser des normes correspondant à leurs propres produits, on définit le cœur du mécanisme de domination des Etats-Unis. Et ce mécanisme pose, de notre côté de l'Atlantique, une question fondamentale. Au delà de leur indéniable talent dans le domaine de la recherche fondamentale, quel peut être désormais le degré d'autonomie des Européens si leurs stratégies, de toute nature, doivent s'appuyer sur des systèmes produits ou contrôlables par d'autres ? C'est, bien entendu, tout le symbole de la bataille qui oppose le GPS américain au futur Galileo européen.

Les Européens ont des doutes persistants sur l'efficacité du surinvestissement technique, par exemple en matière de défense. Mais ce surinvestissement, même dans le cas où il demeure bien loin des effets annoncés (exemple de la « guerre des étoiles » dans les années 80), se traduit par une maîtrise technique qui menace, à terme, la survie des autres acteurs comme décideurs indépendants. C'est le cas, aujourd'hui, dans le domaine de l'information, largement hérité des programmes des années 80 ; et les gigantesques dépenses engagées depuis le 11 Septembre auront sans doute le même effet.

La puissance américaine apparaît ainsi plus massive, plus nue, plus agressive aussi qu'au temps où l'ennemi nous poussait à son côté. Trop forte, elle n'est plus une puissance classique. Trop dédaigneuse des constructions territoriales dont nous avons l'habitude, elle n'est pas une puissance d'Empire au sens traditionnel : étrange puissance d'un troisième type...

Quelle place dans le monde ?

Si le traditionnel binôme interventionnisme/isolationnisme ne suffit plus à rendre compte des fluctuations américaines, il traduit pourtant une réalité de géographie, d'histoire — bref, de culture. Les Européens sont en rapport de continuité avec leur extérieur. Ce dernier fut historiquement d'abord situé sur leur continent ; puis les aventures coloniales créèrent outre-mer des Empires dessinés et gérés territorialement. Longtemps géographiquement et volontairement séparés de l'univers non américain, les Etats-Unis sortent dans le monde en s'y projetant, de manière discontinue, suivant une logique d'allers et retours qui privilégie l'efficacité ponctuelle, et non la volonté d'organiser, de gérer des espaces — logique qui vaut pour leurs stratégies économiques comme pour leurs stratégies militaires. Pour ces dernières, cette culture de la projection et de la discontinuité est au fondement des concepts tactiques, de la structure des forces et des matériels américains eux-mêmes.

Nous savons cela depuis longtemps, même si le progrès multiplie l'efficience des traditionnels concepts de projection. Mais la fascination vis-à-vis de la modernité technique, la perception d'un net différentiel de puissance et le traumatisme du 11 Septembre inscrivent ces réflexes traditionnels dans une logique politique sans détour. Plus encore qu'hier, les Etats-Unis s'insèrent désormais dans le monde, usent de leurs forces quand ils le jugent utile pour eux, dans leur logique, à leurs conditions et pour le temps qu'ils déterminent. Cela, sans guère accompagner leurs décisions de négociations multilatérales ou d'une attention à la gestion collective du monde à long terme. L'exemple de la crise irakienne de la fin 2002, qui a vu se succéder les moments de mépris affirmé vis-à-vis de l'ONU et les tentatives d'instrumentalisation de ses procédures, a été éloquent.

Les exemples sont nombreux qui illustrent ces réflexes traditionnels dopés par la ligne adoptée par l'administration républicaine et par le 11 Septembre : refus du Traité de bannissement des expérimentations nucléaires, de la Convention sur la vérification des armes biologiques, du Protocole de Kyoto ; dénonciation du Traité ABM de 1972 ; invention d'un droit *sui generis* pour Guantanamo ; contestation générale des procédures d'*arms control* ; refus du Tribunal pénal international ; marginalisation de l'Alliance atlantique quand elle ne correspond pas exactement aux besoins de Washington ; glissement vers un concept de guerre préventive et un concept nucléaire préemptif dans la dernière *Nuclear Posture Review,* etc.

Dans le cadre de cette logique unilatéraliste, les options stratégiques s'organisent, elles, sur un mode discontinu de prise de gage, d'administration ponctuelle de la force : un mode prédateur rendu possible par des moyens de déploiement et de retrait qui privilégient la masse et la vitesse.

Agir et gérer

Cette manière de penser et d'agir déconcerte nombre d'Européens. D'abord, parce qu'elle s'oppose au multilatéralisme à la mode pendant la dernière décennie. Ensuite, parce que, de notre côté de l'Atlantique, on inclinerait plutôt à croire que le 11 Septembre pose la question de la gestion politique du monde — et pas seulement, ni peut-être d'abord, celle des nœuds (terroristes ou non) à trancher. L'enseignement premier des attentats (et l'intervention en Afghanistan en découle) est que le pourrissement, la déstabilisation, le glissement hors du champ politique de telle ou telle région — même périphérique par rapport à la géographie de nos intérêts traditionnels — peuvent avoir des conséquences globales, avec des effets dramatiques pour notre sécurité de pays riches, prétendument gardés par leurs défenses techniques. Cet état de fait peut appeler des traitements symptomatiques, policiers ou militaires, mais il demande surtout des thérapies politiques, qui ne peuvent être administrées que collectivement.

La question que pose le 11 Septembre est bien celle de la stabilité et de la viabilité du système-monde, en un temps où l'affaiblissement de certaines structures politiques et la diffusion des techniques permettent aux conflits de se désenclaver, de dépasser la classique géographie des frontières et des champs de bataille. Or, les Etats-Unis ne semblent pas intéressés à élaborer des réponses touchant au système lui-même. Les grandes organisations internationales, globales ou régionales, sont marginalisées depuis un an, alors qu'elles n'ont jamais été davantage nécessaires, au profit d'une « coalition contre le terrorisme » qui n'est guère qu'un instrument de discrimination entre « amis » et « ennemis » de l'Amérique.

Tout cela pourrait avoir des effets fort différents de ceux qu'imaginent les thuriféraires de la puissance techno-militaire américaine. A court terme, nul ne doute que Washington ait les moyens de « créer de l'ordre », en usant de sa force ponctuellement et sans réplique. En Irak ou ailleurs, les Etats-Unis ont de toute évidence les outils de leur politique de force. Plus d'un observateur a d'ailleurs été surpris par la souplesse militaire qu'a prouvée l'intervention en Afghanistan, contre les idées reçues de la massivité américaine. Souplesse demain renforcée, sans doute, par la redéfinition en cours des structures et de la doctrine d'emploi des forces terrestres.

A long terme, il est bien possible que ce remarquable pouvoir d'imposer de l'ordre s'inverse en appareil à produire du désordre, en créant et recréant les éléments constitutifs d'actes du type 11 Septembre. Les Etats-Unis, incapables de gérer le monde — ce qu'on ne saurait bien sûr leur reprocher —, généreraient eux-mêmes le désordre fondamental qu'ils craignent. Ayant cassé les acteurs, les réseaux, les enchaînements qui ont conduit aux événements précédents, ils n'en mettraient pas moins en place les conditions d'une suite semblable. Le soutien apporté à Sharon plus l'attaque de l'Irak ne constituent-ils pas une telle machine infernale ?

Hyperpuissance incontestable, c'est-à-dire puissance d'un type nouveau par son ampleur et ses moyens, les Etats-Unis constitueraient ainsi moins une puissance *dominante* (apaisant suffisamment le monde pour qu'il ne vous touche pas) qu'une puissance *référente*, un élément politique central autour duquel se positionnent les stratégies des principaux acteurs de la planète. D'où l'état d'âme européen : nos stratégies s'organisent très largement en fonction des agissements d'une puissance prééminente, mais celle-ci ne peut — ou n'entend pas — se doter des moyens de rationaliser l'ordre international...

Dimensions de la vulnérabilité

La vulnérabilité exhibée le 11 Septembre brise le sentiment de sécurité que les Etats-Unis adossent à leur histoire, à leur géographie, à leur technique. Rupture brutale, violente, à laquelle ils réagissent aussi avec violence. Du côté européen, les degrés de la vulnérabilité et ses glissements

14

progressifs se découvrent souvent avec langueur, frilosité, dans des pays accoutumés à ce que leur territoire ou leur population soient l'objet même de la guerre. Forçons le trait : les Européens se flattent de savoir l'histoire tragique, en continu, alors que les Américains la découvrent dramatique, par à-coups.

A une « surprise » stratégique qui est d'abord culturelle, les Etats-Unis réagissent en toute logique selon les réflexes et les moyens disponibles. D'autant que ces derniers leur donnent une puissance sans égale, sans rival. Et dans les aujourd'hui visibles de Washington, perce un triple mouvement.

Premier mouvement : les stratégies de sécurité sont rabattues sur les stratégies de défense. Non que les Américains aient la faiblesse de croire qu'on ne produit de la sécurité qu'en alignant des moyens de défense, mais ces derniers deviennent prééminents, centraux par rapport à d'autres manœuvres (diplomatiques, économiques, culturelles...) susceptibles, à long terme, de produire de la sécurité. Ce qui a transpiré des grandes lignes de la *Nuclear Posture Review* — l'identification du fameux « axe du mal », la revendication d'une stratégie préemptive, l'affirmation d'un concept nucléaire articulant frappes et dissuasion — montre assez le caractère déterminant des choix de défense, et que Washington se soucie assez peu de leurs conséquences politiques. La réduction de la diplomatie américaine au Moyen-Orient à la « lutte contre le terrorisme » témoigne qu'une obsession de défense tous azimuts se substitue à une stratégie politique.

Deuxième mouvement : les stratégies de défense sont rabattues sur la dimension militaire — au sens le plus large, qui réunit les appareils militaire et de sécurité intérieure. On peut comprendre que le traumatisme de Septembre incite à réévaluer les systèmes de sauvegarde et à faire monter en puissance la *homeland defense*. L'accumulation des budgets, la prolifération des programmes partout susceptibles de produire des instruments de défense, même marginaux, même éloignés des menaces les plus vraisemblables (la *Missile Defense*) : tout traduit la focalisation sur les moyens de la défense militaire. Directement reliée à la violence du traumatisme, cette obsession correspond pourtant peu aux problèmes réels posés par les évolutions internationales.

Troisième mouvement : le placage de la stratégie militaire sur la logique technologique. La traditionnelle recherche de solutions techniques à des problèmes stratégiques est actuellement confortée par deux arguments : la prééminence américaine dans les technologies avancées n'a jamais été aussi massive ; et les analyses dominantes de la dernière décennie se rangent à l'idée selon laquelle les développements des technologies de l'information révolutionnent désormais, et au profit du plus puissant, l'usage de la force militaire. Le 11 Septembre suggère pourtant que les faits ne vont pas forcément dans ce sens. Et le rythme de diffusion des techniques révolutionnera certes les rapports de force, mais pas inévitablement au profit des plus puissants...

Technique et « punching-balls »

Quelles qu'aient été les performances techniques américaines depuis dix ans, l'attaque de Septembre montre à l'évidence qu'elles restent impuissantes à assurer une défense totale. L'empilement des recettes à venir n'a aucune chance de modifier ce constat. L'accumulation de moyens aurait un sens si le raisonnement stratégique pouvait maîtriser, pour un temps donné, *toutes* les stratégies de *tout* adversaire concevable. Cet espoir est un non-sens. Le propre du raisonnement stratégique est de proposer une réaction qui dévalue raisonnements et matériels adverses, les contourne comme *jets* et *cutters* de Septembre ont tourné les défenses de l'Amérique.

L'autre donnée rappelée par l'attaque de 2001 est, bien sûr, la vulnérabilité des sociétés technologiques développées — une vulnérabilité due à leur concentration démographique, à la fragilité des conditions de la survie urbaine, à l'interdépendance des réseaux modernes de communication, etc. A cette vulnérabilité-là, que crée le développement technologique, la technologie ne peut seule répondre. Si la puissance technique, dans son mouvement même, crée de la faiblesse, c'est bien la place des techniques dans les systèmes de défense qui doit être révisée.

Pour un œil européen, les Etats-Unis paraissent avoir réagi au traumatisme de Septembre par deux réflexes : la fuite en avant technique et la publication d'une liste d'ennemis. Mais cette dernière doit sans doute davantage à des obsessions récurrentes (Iran, Irak, Corée du Nord...) qu'à une évaluation précise des dangers. Ces réflexes s'opposent nettement aux visions de nombreux Européens. Ils dessinent le monde sous des couleurs que notre histoire ou notre position géostratégique ne nous ont pas apprises.

Ces réflexes privilégient, de plus, une idée simple, voire simpliste : dans un affrontement, le différentiel technique garantit toujours un différentiel d'efficacité. C'est faux. L'analyse des conflits militaires de ces dix dernières années n'est pas achevée — et en particulier en ce qui concerne l'Afghanistan. Il serait pourtant osé d'en conclure que les armes nouvelles ont radicalement modifié les règles de l'échange guerrier, affirmant la prééminence du tout technologique. Ce n'est pas l'avis de Milosevic, ni de Saddam Hussein...

16

Alors que le progrès technologique se trouve à la disposition d'acteurs de plus en plus nombreux et divers, les plus dangereux, hélas, ne figurent pas sur la liste des dictateurs. Quant aux postures stratégiques asymétriques — celles dans lesquelles un faible peut contourner l'ensemble des dispositifs et de la logique du fort —, elles ne peuvent, par nature, être réduites par la technologie. Lorsque Européens et Américains parlent du *gap*, du décalage technique, la discussion concerne sans nul doute l'avance de l'Amérique dans les matériels et les capacités, mais aussi l'idée générale, culturelle, que nous nous faisons de la place des techniques dans nos stratégies de sécurité ou de défense.

Cet autre qui nous parle de nous

Dans les débats de l'après-11 Septembre, les Européens expriment ce qu'ils sont, et non pas seulement l'acuité de leur regard sur Washington. Les Etats-Unis sont la puissance dominante et témoignent pour notre monde démocratique et riche, pour ses grandeurs et ses limites ; ils nous renvoient aussi à notre difficulté à y vivre. En marge des débats stratégiques percent des considérations qui n'ont guère à voir avec l'actualité internationale, et pourtant pèsent lourd.

Les Etats-Unis ont une image de dynamisme, de souplesse, de capacité d'adaptation qui contraste, à juste titre, avec celle de sociétés européennes en déclin démographique, mobilisées autour des droits acquis, gouvernées par des Etats lourds et difficiles à réformer. La réactivité américaine — avec ses risques, ses excès — s'oppose à notre difficulté à aménager avec souplesse notre héritage interne et international. Dans leurs commentaires sur l'Amérique, les Européens de l'Ouest lui font aussi payer leur propre difficulté à évoluer, individuellement (incapacité française à adapter le fonctionnement de l'Etat) et collectivement (pusillanimité des réactions de l'UE après le 11 Septembre, qui justifie les pires préventions de Washington). D'où, sans doute, vis-à-vis du modèle américain, une réaction qui, classiquement, mêle l'aliénation (puisque « je » est largement modelé par l'autre) à la détestation (puisque cet autre nous nie).

L'exemple de la problématique démographique est éloquent. Les dernières élections présidentielles françaises ont prouvé l'urgence du débat sur l'intégration des populations nouvellement arrivées en France. Au vu de résultats qui traduisent une profonde mise en cause de notre société politique, il n'est plus possible d'agiter, pour unique viatique, la réaffirmation intemporelle du modèle républicain. Mais, dans l'amorce du débat sur l'intégration, ses modalités et son rythme, sur les modèles concurrents, nous rencontrons d'abord l'Amérique : symbole, pour nous, de la construction d'une société par adjonction, juxtaposition, et non par synthèse.

La vision française et européenne

Le débat sur le « communautarisme » ne renvoie pas de ce côté-ci de l'Atlantique à la seule question de l'immigration. Et la France est particulièrement mise en cause par les débats sur le fonctionnement des sociétés modernes. Elle affirme imperturbablement sa conception des « communautés construites » : au premier chef la République, objet politique créé autour d'un vouloir-vivre ensemble dont témoigneraient les événements du temps révolutionnaire, de la fête de la Fédération au mythique Valmy. Cette vision d'un Etat-nation politique, bien différent d'une juxtaposition d'ethnies ou de communautés, la France la répète au moment où elle la sait mise à mal chez soi, et après avoir soutenu depuis dix ans, à de multiples reprises (par exemple dans les Balkans), la création d'Etats sur des logiques radicalement différentes. Cela, sans doute par impuissance à s'opposer à d'autres acteurs internationaux, au nombre desquels, justement, les Américains...

Le malaise ne nous oppose pas ici directement aux Etats-Unis. Mais ces derniers représentent, et avec quelle force, un monde différent du nôtre, un monde peu structuré par ce politique que nous installons au cœur de notre logique sociale. La puissance américaine nous est donc une violence symbolique, signe des temps. Une violence frappant de plein fouet une France qui gère mal sa sortie d'un monde où elle était majeure. Le problème central de la France dans l'arène internationale n'est pas l'importance brute de sa puissance. Cette dernière est lourde dans tous les domaines : économique, culturel, diplomatique, comme le rappellent les manœuvres du Conseil de sécurité autour de la crise irakienne. La question brûlante est, en revanche, celle du décalage entre cette puissance réelle et le discours que nous tenons sur elle ; autrement dit, celle de notre impuissance à liquider ce qui survit du gaullisme, sa plus mauvaise part : une rhétorique sur l'unicité française, sur la centralité du volontarisme, qui interdit de repenser les conditions de notre efficacité internationale, loin des recettes napoléoniennes.

Dans notre rapport à l'Amérique figure la légitime critique de choix contestables ; et puis, la réponse d'instinct à la violence que Washington nous inflige en étant la puissance de notre temps quand nous ne le sommes plus — notre regret se mettant en scène dans l'alternance de l'exaltation nationale et d'une déploration de la « décadence » française que nous affectionnons.

On pourrait suivre un raisonnement parallèle en partant d'autres bases, pour d'autres acteurs européens, dont le mode d'être politique est aussi questionné par la violence symbolique venue d'outre-Atlantique. L'Allemagne, dans la difficile « normalisation » de sa puissance, s'accommodera sans doute mal, à long terme, de la brutalité de l'affirmation de la puissance dominante. En témoignent, au delà des crispations de campagne, les effluves anti-américaines des dernières élections. Pour d'autres Européens, la puissance globale et unilatérale qui s'affirme sans fard à Washington sera difficile à suivre à un moment où l'on refuse manifestement cette puissance pour soi.

La place de la morale et du droit est désormais centrale dans les conceptions européennes (que cette place soit ou non due, comme on le suggère en Amérique, à notre faiblesse) ; or elle est marginale dans la vision post-Septembre des Etats-Unis. De plus, même si l'Union européenne se mettait à croire à ses discours sur la nécessité de gérer, politiquement et militairement, ses environnements, sa géopolitique n'en deviendrait pas globale pour autant. Ce qui constitue bien une différence irréductible avec la présente posture américaine.

Les énoncés « anti-américains » se fondent donc en Europe sur de multiples éléments. D'abord le décalage d'Etats-clients vis-à-vis du centre de l'Empire — ce décalage pouvant s'exprimer avec une force proportionnelle à la nostalgie d'un rang qui s'affaisse. Le sentiment diffus que cet Empire est assez pesant pour devoir être critiqué, mais pas suffisamment pour assurer la « paix par l'empire » dont nos histoires sont friandes, est un autre élément des positions européennes. Dans cette logique, les Etats-Unis sont à la fois trop et pas assez dominants... La démonstration de la vulnérabilité américaine — les Empires sont rarement frappés au centre — et l'alignement de réponses souvent décalées, parfois disproportionnées, renforcent le malaise de notre côté de l'Atlantique.

L'écho de nos propres faiblesses, de nos incertitudes d'Européens, ne doit pas être sous-estimé, tant il est vrai qu'une claire conscience de soi est nécessaire aux rapports décomplexés avec l'autre. Enfin, la marginalisation de problématiques (la menace militaire...) et d'institutions (l'Alliance...) qui nous faisaient « tenir ensemble », creuse la divergence de nos chemins. En annonçant une large ouverture de l'Alliance, Washington reconnaît sa future — déjà présente — mutation. Ce n'est pas la « menace terroriste », mythique dans sa définition si elle est réelle dans ses effets, qui remplacera pour les décennies à venir l'ogre soviétique, avec les mêmes effets de catalyse — du moins parce que les réponses à cette menace se concrétiseront difficilement dans des appareils politiques et militaires communs, et visibles.

Les divergences entre Europe et Amérique rendront sans doute, à terme, nécessaire une nouvelle organisation politique et institutionnelle de leurs rapports. Les variables du changement sont imprévisibles. Les événements internationaux (actes terroristes répétés, actions de guerre, etc.), la capacité ou non des Européens à se penser et à s'organiser eux-mêmes, la dynamique ou l'atonie de l'organisation internationale face aux défis posés : autant d'éléments du jeu. C'est dire s'il est ouvert.

DOMINIQUE DAVID

20

Le développement de l'Afrique, affaire de volonté politique

MICHEL ROCARD

Lors de la communication qu'il fit, le 24 juin 2002, à l'Académie des Sciences Morales et Politiques, Michel Rocard affirmait : « A l'évidence, l'Afrique stagne. Elle a besoin de développement. » Mais qu'est-ce que le développement ? Ne doit-il être évalué qu'à partir des données quantitatives de la croissance ? Certainement pas, puisque, pour évaluer la croissance elle-même, on ne peut passer sous silence des facteurs tels que « le niveau d'éducation de la population, la qualification de la main-d'œuvre, l'organisation du système productif, la réduction des goulets d'étranglement et, surtout, la qualité de l'action gouvernementale – la gouvernance... » Aux constats accablés sur la situation de l'Afrique, Michel Rocard oppose analyse et conviction politiques : le développement pour l'Afrique est possible, mais pas n'importe comment, et sûrement pas selon les schémas qui nous sont familiers. Nous publions ici des extraits de cette intervention. [N.D.L.R.]

PEUT-ON favoriser en Afrique un développement durable ? Ma réponse est oui, sous trois conditions majeures. La première est de donner la priorité absolue à tout ce qui touche la gouvernance : guerre ou paix, sécurité civile, nature des Etats, stabilité administrative, juridique et fiscale, pratique de la démocratie. La deuxième est d'accepter une remise en cause complète de tous les concepts, procédures et instruments dont se servent aujourd'hui les pays riches pour « aider » les pauvres. La troisième est d'accepter l'idée que le développement ne se parachute pas, et ne peut venir de l'extérieur. Il ne s'affirme que lorsqu'il est autocentré et puissamment piloté par une volonté nationale forte,

Ancien Premier ministre. Président de la Commission de la culture, de la jeunesse, de l'éducation, des médias et des sports au Parlement Européen.

éclairée et légitime. Dans le continent qui nous intéresse, le seul exemple connu d'un décollage réussi ayant pris appui sur l'aide occidentale est l'île Maurice. La condition centrale de bonne gouvernance était remplie, et les méthodes suivies furent remarquables, inventives, mais non exportables.

Il convient d'esquisser, dans différents domaines, comment l'application de ces conditions centrales peut permettre d'évoquer des politiques ayant de meilleures chances de provoquer le développement. Je le ferai de manière caricaturale, en abordant dix sujets principaux, dont huit seulement sont repris dans ces extraits.

La guerre, la paix

Il est patent que, lorsqu'une rébellion éclate, les Etats d'Afrique sont généralement dans l'incapacité de la réduire. Il l'est tout autant que la qualité de la gouvernance en Afrique est si fréquemment insuffisante que les rébellions ont souvent une forte légitimité, du moins locale. D'où il résulte que la négociation est le plus souvent la seule issue possible. Il est clair aussi que l'intervention de grandes puissances, extérieures à la zone, alourdit la négociation d'intérêts pétroliers, miniers, géostratégiques et même linguistiques qui ne favorisent guère l'issue. Il est patent, enfin, que, depuis quelques années, l'Afrique a appris à mieux maîtriser ses crises. La région des Grands Lacs, les Comores et, d'une certaine façon, la Sierra Leone en témoignent. Mais ces phrases furent écrites avant l'implosion de la Côte-d'Ivoire.

En outre, en cas de crise violente, le comportement de la communauté internationale est en général le suivant : arrêt des politiques d'aide et de coopération, dessaisissement des autorités qui les conduisent et qui ont une connaissance experte de la situation, saisine de nouvelles autorités : ministères ou services des Affaires étrangères au lieu de la Coopération, Conseil des Ministres de l'Europe au lieu de la Commission, et Conseil de Sécurité au lieu des Agences. Ces nouvelles autorités n'ont ni mémoire historique, ni compétence réelle dans les crises dont elles sont saisies ; et elles n'ont pas de réserves budgétaires permanentes pour traiter les crises. Toute opération de maintien ou d'imposition de la paix appelle donc, après un accord déjà difficile sur sa conception et son ampleur, une négociation plus longue encore pour en assurer le financement, alors que la rapidité est presque toujours la condition majeure du succès. Les sanctions ou leur absence dépendent trop souvent du principe : « Deux poids, deux mesures ». Les Comores doivent trois ans d'abandon et de misère à un tel système de décision, et le Congo-Brazzaville d'être ravagé et d'avoir perdu 50 000 vies humaines.

22

Il est nécessaire que les autorités nationales ou internationales chargées de gérer la coopération soient également chargées de gérer les crises. Très difficile dans le cas de l'ONU, cela est possible partout ailleurs, notamment en Europe. C'est un des problèmes dont la Convention devrait se saisir. De plus, une dotation budgétaire permanente pour le traitement des crises devrait être prévue. Son volume devrait représenter 10 % de toutes les dotations actuelles. Il devrait être proposé à l'Union Africaine qu'une partie de cette dotation soit affectée dès que possible à la mise sur pied et au fonctionnement d'un Etat-Major Africain permanent, chargé de la prévention et de la gestion des crises, et une autre à l'entraî-nement de certaines unités militaires nationales que leurs gouvernements respectifs désigneraient comme chargées en permanence de la participa-tion aux opérations de maintien de la paix. Pourquoi ne pas donner, en outre, à l'Union Africaine délégation du Conseil de Sécurité de l'ONU pour appliquer en Afrique les cas de recours au chapitre VII de la Charte, celui qui traite de l'emploi de la force pour préserver ou rétablir la paix ? Enfin, des observatoires régionaux des tensions devraient permettre d'effectuer une veille destinée à prévenir les crises plutôt qu'à les gérer après explosion.

L'organisation des pouvoirs publics

Un mimétisme international, fait de protocoles, de conférences, d'habi-tudes, de normes et de standards imposés par les pays développés, et aussi de manque d'imagination, pousse les Etats d'Afrique à s'organiser comme s'ils devaient un jour ressembler aux nôtres. C'est évidemment impossible. Tous ces Etats (ou du moins la plupart) ont besoin de services au coût minimal et d'une forte intégration de leurs marchés intérieurs dans des ensembles régionaux ; de regrouper également le plus possible de services au niveau régional, à commencer par les ambassades, et continuer par tout ce qui concerne l'eau, l'énergie, le traitement des catas-trophes naturelles, la recherche scientifique épidémiologique et épizoo-tique, etc. Ils devraient enfin imiter le Mali, le seul d'entre eux à avoir effectué une profonde décentralisation, en confiant aux communes la res-ponsabilité de créer et développer tous les services publics de base.

L'impôt est mieux payé quand on sait à quoi il sert ; les communes seront toujours plus avisées que les Etats dans l'évaluation des dimen-sions de chaque projet ou ouvrage ; la corruption est moins facile, parce que plus visible, dans les travaux modestes de proximité. C'est d'ailleurs seulement au niveau de la commune qu'il est imaginable et admissible que l'impôt prenne la forme de journées de travail consacrées aux investissements collectifs. Il est crucial, à ce sujet, que les règles de comptabilité communale permettent un traitement adéquat des investissements — travaux collectifs compris. Ces problèmes sont naturellement de souveraineté africaine, mais il serait important que les bailleurs d'aide en comprennent la nécessité et mettent au point des systèmes incitatifs vigoureux dans chacune de ces directions. De même devraient-ils insister, plus qu'ils ne le font, sur la mise à disposition des Etats africains d'une expertise digne de ce nom, notamment pour toutes leurs activités internationales.

Nous autres, Occidentaux, une fois passés les temps de l'esclavage et de la colonisation et venu celui de la responsabilité et de la solidarité, avons plus ou moins consciemment tenté d'exporter en Afrique non seulement nos principes fondamentaux de civilisation, mais aussi nos règles pratiques d'organisation de la société. Or la greffe ne prend pas, ou elle prend très mal. Il faut dès lors distinguer deux blocs dans les valeurs auxquelles nous voudrions voir ce continent se rallier. Le premier constitue le cœur des Droits de l'Homme ; il est universel et irrécusable : on ne tue pas, on ne torture pas, l'expression des idées est libre, il n'y a pas de délit d'opinion, la justice est indépendante. La Charte africaine des Droits de l'Homme, document constitutif de l'Union Africaine, réaffirme ces droits, et c'est en leur nom qu'au sommet de l'UA certains chefs d'Etat osent enfin accuser et sermonner quelques-uns de leurs pairs.

Pratique de la démocratie

D'une autre nature est le deuxième bloc, celui des procédures d'organisation de la démocratie représentative. Fondées sur le pluralisme, elles reposent sur le système des partis politiques. Cela vient du fait que, depuis deux siècles au moins, les partis politiques ont, en Occident, une immense légitimité : ils ont contribué à construire nos identités nationales et incarnent des intérêts sociaux respectés, que ce soient ceux des agriculteurs, ou des propriétaires, ou des salariés. Rien de tel n'a pu se créer en Afrique, où l'on ne discerne que deux usages des partis politiques : la structuration forte de la clientèle de chaque chef, ou le support d'expression de signes d'identité ethnique, religieuse ou linguistique — le contraire de ce dont l'Afrique a besoin. Or l'Afrique avait connu, avant l'esclavage et le colonialisme, un certain nombre de royaumes ou d'empires qui furent stables sur plusieurs siècles. Le mode de prise de décision était la palabre, c'est-à-dire le consensus, à l'Assemblée de village tout d'abord (sous le baobab), puis entre délégués aux assemblées de régions, puis de royaumes ou d'empires. L'Afrique a le souvenir de cette démocratie consensuelle, qu'elle pratique encore dans les villages et à laquelle elle aspire aux niveaux supérieurs de l'organisation sociale. Elle ressent notre démocratie comme conflictuelle, puisqu'elle repose sur une cristallisation des conflits permise par l'organisation des campagnes électorales et enregistrée à l'occasion des votes. A l'évidence, l'Afrique cherche les formes d'une démocratie plus conforme à ses traditions.

Dans ces conditions, il semble important que les distributeurs de leçons de morale politique que nous sommes devenus, nous pays riches, en même temps que distributeurs d'aide, modifient la structure de leur discours en matière de conditionnalité. Nous nous sommes laissés aller à synthétiser en un seul critère nos exigences en matière de démocratie et de Droits de l'Homme : l'organisation et la bonne tenue d'élections présidentielles ou législatives pluralistes. L'aide s'arrête quand il y a un accroc. Ce sur quoi il faut mettre l'accent me paraît devoir être au contraire : l'absence de délits d'opinion, la fin des arrestations arbitraires, l'abolition de la torture, le respect de la liberté de la presse et de l'indépendance de la Justice. Ce sont ces conditions dont le respect durable permet seul, petit à petit, l'émergence d'une démocratie pluraliste. L'Afrique a besoin d'une phase de démocratie rassembleuse et unanimiste. L'établissement d'une culture de paix civile est à ce prix. L'observation attentive des conditions dans lesquelles de nombreux pays se sont orientés vers la démocratie — Zambie, Namibie, Mali, Ouganda, Niger d'une certaine manière, et bien d'autres — tend à montrer que l'émergence de la démocratie est un processus lent, délicat, sujet à retours en arrière, qui correspond à l'acceptation progressive par les forces armées et les polices d'être commandées par un responsable suprême qu'elles n'ont pas choisi. S'en tenir à cette grille de lecture éviterait aux décideurs de la Communauté internationale bien des erreurs dans l'analyse des chocs, bavures, incidents et coups d'Etat qui parsèment le dur chemin de l'Afrique.

Notre coopération

La quatrième approche est l'aide extérieure. La plupart de nos procédures sont insatisfaisantes. L'Aide Publique au Développement est profondément inadaptée dans beaucoup de ses aspects. Mais modifier la nature et les procédures de la seule aide française serait insuffisant. C'est de l'ensemble des bailleurs, et en priorité l'Union Européenne, qu'il faudrait parvenir à modifier les comportements.

Premier élément : l'aide liée provoque toujours et partout des effets pervers. Les motifs de sélection et d'attribution des projets sont nécessairement biaisés ; l'appropriation de l'aide, des produits, des services ou des savoir-faire est profondément perturbée par l'intérêt des bailleurs. C'est une cause politique : on aide ou on n'aide pas. Mais si l'on aide, ce ne peut être que de manière désintéressée.

Deuxième élément : aucune administration ne parviendra à éviter que l'aide aux projets soit tragiquement discontinue. Deux ans après le départ d'une bonne équipe ayant achevé un bon projet, il ne reste rien. Le passage des projets aux programmes n'est qu'une solution très partielle : le cadre devient plus ample et plus flexible, mais les défauts structurels demeurent. La forme la plus efficace est l'aide permanente à des équipes locales — nationales pour l'essentiel — qualifiées. Cela rend l'évaluation plus subtile et plus complexe, mais ce n'en est pas moins nécessaire.

Troisième élément : Il faut combattre la tentation de facilité qui conduit à la sectorisation. Que la cible soit un terroir urbain ou rural, on n'échappe pas à devoir traiter à la fois l'eau, les productions vivrières, l'hygiène, la petite économie, la protection maternelle et infantile, la santé, l'éducation de base, les transports et l'habitat. La bonne politique de développement consiste à pouvoir à tout moment intervenir sur n'importe lequel de ces champs pour lever un blocage, faire disparaître un goulet d'étranglement et assurer une synergie correcte entre tous les aspects du développement. Donner priorité à la santé ou aux infrastructures sans s'occuper du reste revient à bâtir sur du sable. Or c'est l'orientation actuelle de la coopération européenne.

Quatrième élément : les normes et standards internationaux auxquels se réfèrent tous les bailleurs sont beaucoup trop exigeants. Ils aboutissent souvent à exclure les entreprises locales pour fournitures ou travaux. L'aide alimentaire est de plus en plus contrainte à être fournie dans les pays développés, et non dans les pays voisins. La demande impérieuse aux ONG, venant aux adjudications pour les projets d'aide humanitaire ou de développement, de se pourvoir d'une caution bancaire renchérit le coût des opérations de 2 ou 3 % et élimine en bloc les ONG des pays du Sud. C'est avec de telles pratiques que le « taux de retour » de l'aide chez les pays donateurs est remonté de quelque 60 %, il y a vingt ans, à près de 75 ou 80 % aujourd'hui. Tout cela découle d'un prurit de transparence comptable qui interdit, en fait, de travailler dans des pays où la corruption est sociologiquement endémique. Il faut ici savoir ce qu'on veut, et surtout ne pas faire semblant.

Cinquième élément : dans l'état de déshérence générale où se trouvent aussi bien le développement que l'aide au développement, il faut réinsister sur l'essentiel : le don est préférentiellement efficace pour les infrastructures, matérielles et immatérielles. Il faut revenir à cette priorité.

Sixième élément : la clef du bon usage de toute forme d'aide est l'appropriation complète de l'équipement ou du savoir-faire par les bénéficiaires. Cette condition, immatérielle, est totalement négligée dans les procédures et formes actuelles de distribution de l'aide. Elle suppose une plus grande participation des bénéficiaires au choix et à la nature des projets.

Septième élément : les appareils d'Etat — des deux côtés, mais surtout chez les bénéficiaires — sont très opaques à la réalité des besoins locaux. Ils sont, en outre, source et occasion de corruption et incitateurs aux projets surdimensionnés : les fameux éléphants blancs. La coopération décentralisée, allant directement aux régions, aux villes, aux communes et aux ONG locales, évite largement, sinon complètement, ces dérives ; mais nos appareils centraux, à nous bailleurs de fonds, s'en méfient. Il faut pourtant encourager cette coopération beaucoup plus qu'elle ne l'est.

Corruption et surveillance

Lutter contre la corruption est indispensable, mais je ne crois pas qu'on puisse le faire sans comprendre à quoi l'on s'attaque et sans se donner des objectifs raisonnablement susceptibles d'être atteints. Dans les pays où le pouvoir d'achat moyen est de deux dollars par jour et où le salaire d'un ministre n'atteint pas deux SMIC français, un certain niveau de corruption est largement inévitable. Nous produisons nous-mêmes, par notre mode de vie, nos façons d'être, nos comportements commerciaux et les relations administratives que nous entretenons, de très puissantes incitations au mimétisme, donc à la corruption. En outre, nous appelons vite corruption la persistance d'usages anciens de solidarité familiale ou clanique dans lesquels il n'est de propriété privée que familiale... Au-dessous de 5 % du PNB, la corruption est le plus souvent inévitable et inéradicable ; elle n'entrave guère la croissance. Si elle atteint 10 % du PNB, elle devient dangereuse en ce qu'elle interdit ou dissuade l'investissement. Au-dessus, elle commence vraiment à interdire la croissance.

C'est donc surtout sur les grosses opérations et les grands mouvements de fonds que la surveillance doit être impitoyable. A cet égard, les contrôles *a priori* sont peu efficaces. Par facilité, nombre de bailleurs de fonds tendent à les généraliser : c'est un argument pour leurs électeurs contribuables. Il faut davantage de courage et de continuité pour généraliser et pousser jusqu'à la fin des circuits les contrôles instantanés et *a posteriori*. Les clefs sont peu nombreuses, mais importantes. On n'évite pas de provisionner pour les besoins locaux quelque 3 à 5 % du coût des projets. A l'impossible nul n'est tenu. Les bénéficiaires doivent accepter que les contrôles des bailleurs aillent jusqu'au bout des filières. Les procédures doivent permettre la « traçabilité » de chaque opération. Les accords internationaux et bilatéraux, les contrats de toute nature doivent impérativement comporter des clauses négociées, et non imposées sur les modalités de contrôle, de poursuite et de sanctions. De manière plus générale, la grande difficulté de la conditionnalité est son *unilatéralisme*. C'est d'ailleurs pour cette raison que les services de la Commission Européenne commencent à essayer de substituer la notion de contrat à celle de « décision des bailleurs ». Mais cela ne suffit pas. Il faut parvenir à ce que les excès en matière de corruption ou de mauvaise gouvernance soient soumis, selon des procédures générales négociées à l'avance, à l'appréciation des pairs des chefs d'Etat incriminés. Il faut un consensus des bénéficiaires à l'application du code moral que nous, bailleurs de fonds et anciens colonisateurs, entendons leur imposer.

La dette

Il est évident que la dette étrangle davantage les pays dont le décollage a commencé. Nos efforts d'annulation de dette pour les seuls pays les moins avancés sont sympathiques et utiles, mais hypocrites et insuffisants. Jamais ne se réunit la Communauté globale des bailleurs qui seule pourrait se poser la question de savoir s'il est pertinent de pérenniser une dette qui ne sera jamais remboursée ou, pire, de pousser les débiteurs à emprunter pour payer les intérêts, donc à aggraver leur situation. Il faut réduire — et si possible supprimer — ce compartimentage en quatre domaines, selon que la dette est publique ou privée, bilatérale ou multilatérale. C'est la condition d'un traitement plus efficace.

Nos institutions internationales ont créé des instruments de mesure de la « tolérabilité » de la dette. A ma connaissance, la préservation d'un niveau minimum d'investissements et de services sociaux n'y a pas sa place. C'est une énormité.

Enfin, nous sommes bien loin d'avoir suffisamment étudié et développé la possibilité d'effectuer les remboursements en monnaie locale, qu'il s'agisse de capitaliser des entreprises en voie de privatisation, ou de financer des programmes et opérations choisis d'un commun accord. Du point de vue de l'éthique des relations entre prêteurs et emprunteurs, cette solution est beaucoup moins mauvaise que l'annulation pure et simple. Elle est aussi beaucoup moins douloureuse. Reste que 80 à 100 nations sont étranglées par le fardeau de leur dette, et qu'une audacieuse chirurgie est absolument indispensable.

28

Le commerce extérieur

L'exportation est une nécessité absolue du développement, pour cette simple raison qu'elle est le seul moyen dont disposent les nations pauvres pour acheter les équipements et les savoir-faire qui leur manquent. Mais l'exportation n'est pas — et n'a jamais été — le facteur déclencheur du développement. Hors les cas très particuliers et non reproductibles de Hong-Kong et Singapour, tous les décollages économiques qui se sont produits dans l'histoire ont pris naissance dans le marché intérieur, et les pays en cause se sont longuement protégés tandis qu'ils consolidaient leur décollage. C'est vrai des Etats-Unis au XIXe siècle, du Japon à la fin du XIXe et au début du XXe, du Brésil, de la Chine actuelle, de la Corée du Sud et même de Taiwan. Nos doctrines officielles poussent les pays d'Afrique à exporter, alors qu'ils n'ont pas grand-chose à exporter et que, de toute façon, l'évolution des termes de l'échange ne peut être que défavorable pour leurs produits. Les slogans ou les thèmes *Trade, not Aid* ne touchent pas aux facteurs déclenchants du développement. C'est une décision politique globale, lourde mais simple, qui doit reconnaître l'inanité pratique de ces doctrines. Tout développement est d'abord endogène.

Le développement

On n'a jamais vu, nulle part, de développement parachuté ni de développement à moteur externe. Ce sont les marchés intérieurs qu'il faut dynamiser et, pour ce faire, en Afrique, bien souvent, pousser à leur régionalisation. Par toutes les formes de structure de gestion mises en place, les fournisseurs d'aide doivent s'acharner à faciliter l'appropriation par les autorités et les populations locales des biens, des techniques, des savoir-faire qu'ils transmettent. Une meilleure synergie doit être recherchée entre les administrations distributrices, les entreprises et les ONG.

Les deux domaines les plus urgents, partout, à ma connaissance, sont l'agriculture vivrière et la production substituable aux importations. Augmenter le taux d'autosuffisance alimentaire est une clef à la fois de la cohésion sociale et de la diminution de l'endettement. Ce taux est en diminution dans pratiquement toute l'Afrique. Il s'agit là d'une priorité aux facettes multiples : gestion de l'eau, préservation des sols, restitution aux cultures vivrières ou au petit élevage de surfaces affectées aux cultures de rente, formation d'agronomes, de vétérinaires et de vulgarisateurs en grand nombre, augmentation des moyens de stockage, alimentation en énergie, amélioration des routes, des pistes et des structures ou réseaux de commercialisation. Il faut, en outre, rappeler ici ce que tout le monde sait, mais dont pourtant on ne tient jamais assez compte : en Afrique plus encore que dans le reste du monde (et pour des raisons socio-culturelles très anciennes), ce sont les femmes qui pratiquent l'agriculture de proximité. Elles doivent être les cibles principales des programmes de formation, de vulgarisation, d'incitation à l'hygiène et à la protection maternelle et infantile. C'est moins difficile à faire en coopération décentralisée qu'à partir des appareils d'Etat africains, tous urbains et presque tous exclusivement masculins. La recherche agronomique, tant locale qu'internationale, doit être aussi davantage orientée vers l'agriculture vivrière.

L'autre orientation majeure est la multiplication des PME-PMI capables de transformer les ressources locales en produits susceptibles d'économiser des importations. L'essentiel des jus de fruit et une partie des eaux minérales qu'on boit en Afrique sont importés, ainsi que la petite quincaillerie et nombre d'instruments de cuisine. Ainsi s'aggrave le sous-emploi et se détériorent les balances de paiement. Corriger cette tendance suppose une formation au management du capital, une ample politique de soutien bancaire. Mais le plus difficile n'est pas là : partout les groupements d'importateurs, qui gagnent leur vie grâce à ce parasitisme économique, exercent d'énormes pressions, y compris politiques, pour empêcher la naissance et la croissance de telles entreprises locales. Il y a là l'enjeu d'un combat politique de grande ampleur, mais indispensable.

L'économie populaire

Quatre-vingts pour cent de la population de l'Afrique subsaharienne vit avec 2 dollars par jour, ou moins. Micro-activités, micro-entreprises, vente directe du producteur agricole ou artisanal à l'acheteur, absence totale de tout écrit (et donc de toute fiscalisation) et une intense activité de récupération caractérisent cette économie de la débrouille et de la survie. Les experts des pays riches ont inventé le vocable méprisant d'économie informelle. Mais il y a une difficulté sémantique, à savoir que ce vocabulaire couvre aussi l'économie délinquante : trafic d'armes, de drogue, de pierres précieuses, de minerais rares, d'êtres humains, prostitution, etc. Il est essentiel, pour des raisons à la fois de sécurité juridique — on doit nommer ce que l'on poursuit — et de dignité sociale, de distinguer (jusque dans le vocabulaire) l'économie délinquante et punissable de l'économie, salubre mais non fiscalisée, que l'on entend promouvoir, et petit à petit régulariser. En accord avec des ONG importantes, je me suis résolu à adopter et proposer le terme d'économie populaire pour définir ce champ économique non fiscalisé, mais non criminel, qui fait vivre les quatre cinquièmes de l'Afrique.

30

L'invention fabuleuse de Muhamad Yunus, le micro-crédit, prend ici toute sa place. Mais bien d'autres actions sont nécessaires. Il faut mettre fin à la précarité juridique des occupations de terres et des constructions. Une grande déconcentration des services publics doit permettre l'écoute et le partenariat entre l'Etat, les collectivités publiques et les comités représentatifs de la population des quartiers. Les caisses et institutions de micro-crédit ont besoin d'un statut légal et d'appuis bancaires. Mais ce statut doit maintenir une cloison étanche entre la banque classique travaillant sur documents et le micro-crédit travaillant sur la confiance. Au delà du micro-crédit, qui « solvabilise » la demande, il conviendrait de développer des instruments de capital-risque pour appuyer l'émergence de l'offre, c'est-à-dire de petites et toutes petites entreprises en économie populaire. Enfin, dans le soutien à l'économie populaire comme pour l'agriculture, on retrouve la nécessité d'une priorité absolue aux actions ciblées sur les femmes, maîtresses de toute l'économie de proximité. Au Bangladesh, sa terre de naissance, 95 % des bénéficiaires du micro-crédit sont des femmes.

L'éducation

Il y aura 700 millions de jeunes Africains à scolariser dans vingt-cinq ans. Il faudrait multiplier par cinq ou six le nombre actuel des enseignants et y consacrer la totalité des dépenses budgétaires de tous les Etats d'Afrique après les avoir doublées. C'est évidemment impossible. Nous sommes là devant une crise majeure. Il n'y a d'esquisse de réponse qu'à travers une amélioration et une utilisation intensives de toutes les techniques d'enseignement à distance. Les instruments sont là ; ce qui manque, c'est l'effort de recherche sur leur mise au point et l'effort budgétaire massif que les bailleurs devront largement accompagner.

Contrairement à beaucoup d'autres, je ne suis pas pessimiste. Car rien de tout cela n'est impossible. La Communauté internationale doute actuellement, à juste raison, de ce qu'elle a fait jusqu'ici. Si elle se convainc que le développement est d'abord endogène, qu'il dépend de la politique plus que de tout le reste, mais que l'aide lui demeure indispensable à condition d'être mieux adaptée, alors un sursaut est possible. Il devra commencer par le sida. L'Afrique vit un tremblement de terre démographique sans précédent. Si notre solidarité avec ce continent a un sens, c'est d'abord du sida qu'il faut la sauver, ou du moins limiter ses conséquences, pour reprendre ensuite le chemin de la coopération vers le développement durable.

MICHEL ROCARD

ÉTVDES

Articles parus en 2002 et 2001 sur l'Afrique et les Etats-Unis

Afrique

- **A. AYISSI ET ALII,** Droits et misères de l'enfant en Afrique, *octobre 2002*
- **FRANÇOIS GAULME,** Léopold Sédar Senghor,
  politique et penseur entre deux mondes, *juillet-août 2002*
- **MYRIAM HOUSSAY-HOLZSCHUCH,** La violence sud-africaine, *juillet-août 2002*
- **ERIC DE ROSNY,** L'Afrique des migrations :
  les échappées de la jeunesse de Douala, *mai 2002*
- **MARC-ANTOINE PÉROUSE DE MONTCLOS,** Nigéria et Soudan :
  y a-t-il une vie après la Sharia ? *novembre 2001*
- **FRANÇOIS GAULME,** L'Ivoirité, recette de guerre civile, *mars 2001*
- **MARC-ANTOINE PÉROUSE DE MONTCLOS,** Le Nigéria
  à l'épreuve de la Sharia, *février 2001*
- *à paraître en mars 2003* : **DANIEL COMPAGNON,**
  La prétendue réforme agraire au Zimbabwe. A qui profite le crime ?

Etats-Unis

- **NORMAN BIRNBAUM,** Où va l'Amérique ? *novembre 2002*
- **DICK HOWARD,** La Cour Pénale Internationale
  vue de Washington, *septembre 2002*
- **JEAN-YVES CALVEZ,** Scandales
  sur l'Eglise catholique américaine, *juillet-août 2002*
- **BRUNO GUIGUE,** Les raisins de la colère, *décembre 2001*
- **JEAN-YVES CALVEZ,** Après le Mardi noir ("Liminaire"), *novembre 2001*
- U.S.A. : l'après-élection (cinq articles en "Figures libres"), *mai 2001*
- **FRANÇOIS GÉRÉ,** La longue marche de la Défense antimissiles, *avril 2001*

La Cour Pénale Internationale
ses ambitions, ses faiblesses, nos espérances

SYLVIE KOLLER

L'ENTRÉE en vigueur du Statut de Rome instituant la Cour Pénale Internationale a eu lieu le 2 juillet 2002, après la soixantième ratification de ce Statut. Le délai exceptionnellement rapide qui s'est écoulé entre la Conférence Intergouvernementale de Rome en 1998 et l'avènement de la CPI augure bien de la volonté internationale. Cependant, l'opinion publique aura surtout été frappée par les hostilités déclenchées par les Etats-Unis à l'encontre de cette nouvelle juridiction à vocation universelle. Les inquiétudes et les regrets exprimés à cette occasion vont parfois de pair avec une interrogation sur la légitimité de la CPI, question confondue avec celle de son efficacité présumée. Le parti des sceptiques est-il fondé à ternir les espoirs placés dans la CPI en arguant du non-respect des textes fondateurs, pactes, déclarations et conventions dont l'ordre international a accouché au XXe siècle ?

« Pendant les massacres, le droit court toujours » serait-elle la devise inavouée destinée à être perpétuée par la CPI ? Un examen raisonné du Statut de Rome, de ses avancées par rapport aux précédents instruments juridiques comme de la part ménagée au bon vouloir des Etats, nous aidera à le considérer comme ce qu'il est : le résultat d'une large négociation, s'inscrivant dans la continuité du droit positif international existant, mais le dépassant sur plusieurs points fondamentaux. Le point de vue du citoyen sur un texte juridique de cette nature doit porter d'abord sur le fondement même de son élaboration : l'ambition de doter la communauté internationale d'un instrument juridique à la hauteur de ce qu'elle proclame, c'est-à-dire la reconnaissance des crimes, la mise en

Maître de Conférences, Université Rennes-2, Haute-Bretagne.

cause des criminels, le refus de l'impunité. En effet, on ne devrait poser la question de l'efficacité du fonctionnement de la CPI qu'après avoir soumis à examen les grands principes sur lesquels elle repose et les compétences dont l'ont dotée les Etats signataires.

Une légitimité multiple

Sur le plan politique, la légitimité de la CPI n'est pas douteuse, car elle a été créée sous l'impulsion de l'Assemblée Générale des Nations Unies et non à la seule initiative du Conseil de Sécurité, comme ce fut le cas pour les deux Tribunaux *ad hoc* pour l'ancienne Yougoslavie et le Rwanda. Le Statut de Rome a valeur de traité soumis à signature et à ratification. Il a été préparé dans le cadre d'une conférence intergouvernementale réunissant 160 Etats. L'issue du vote indique bien un consensus : 117 voix pour, 17 contre, 25 abstentions. La procédure exigeait de voter sur le texte définitif, sans possibilité de présenter des amendements. Les Etats ne pourront manifester leurs réticences que par des déclarations à l'occasion de la signature ou de la ratification du statut. Il s'agit, bien entendu, d'une légitimité de naissance, car la légitimité d'existence de la CPI se construira progressivement au fur et à mesure des ratifications. Les plus attendues sont celles des grands pays les plus hostiles à l'heure actuelle, mais, du point de vue des valeurs fondatrices de la CPI, la ratification par un grand nombre de pays d'Afrique, d'Asie et du Moyen-Orient serait une source importante de légitimité. Par ailleurs, la CPI ne saurait être qualifiée d'organe onusien, car son fonctionnement dépendra de l'Assemblée des Etats-Parties. Le Conseil de Sécurité peut cependant exercer plusieurs compétences dans le cadre de la CPI, ce qui constitue, de fait, une légitimité plurielle et potentiellement conflictuelle.

Même si, pour un grand nombre de citoyens du monde, la CPI est une heureuse surprise, ils ont été représentés pendant tout le processus de gestation par les nombreuses ONG (800 à ce jour) qui ont joué un rôle décisif à toutes les étapes du processus de Rome. Réunies au sein d'une coalition multilatérale, ces ONG ont poussé à la création de la CPI, participé à l'élaboration du texte soumis aux Etats, et suivi la Conférence de Rome par le biais de leurs 236 observateurs accrédités. Elles participent actuellement aux travaux de la Commission Préparatoire chargée de mettre en œuvre la CPI et sont impliquées dans un travail d'information et de sensibilisation des opinions publiques et des gouvernements. Leur volonté de travailler par zones géographiques, en s'appuyant sur les réseaux locaux, nationaux et continentaux de défense des droits de l'homme, s'est avérée décisive dans cette contribution de la société civile au processus de Rome, et restera décisive dans l'avenir. En effet, pour acquérir une légitimité d'existence, la CPI ne doit pas être une justice instruite et appliquée par des pays « vertueux » contre des pays « malappris [1] ».

La CPI est également investie d'une légitimité découlant de l'histoire récente, qui a vu se traduire en actes la volonté de punir des crimes révoltants pour la conscience universelle, dans le cadre du droit international. Il ne s'agit pas seulement des deux Tribunaux Internationaux *ad hoc* créés par le Conseil de Sécurité, en vertu du chapitre VII de la Charte des Nations Unies, mais des procès instruits contre des criminels, en application d'un certain caractère extra-territorial de la Justice : affaire Pinochet, inculpation de tortionnaires latino-américains par des juges de pays tiers pour des crimes qui n'ont pas été commis sur leur territoire. Plus encore, certains pays ont inscrit dans leur droit interne certaines formes de compétence universelle pour certains crimes, comme l'Espagne pour le crime de torture. Le cas de la Belgique, où la recevabilité d'une plainte déposée contre Ariel Sharon a été examinée en 2002, est le plus connu. L'existence même de la CPI réaffirme le caractère universel des crimes de masse commis en un point de la planète et le refus collectif de l'impunité. De plus, elle pose un principe qui est loin d'être reconnu dans les législations internes : le caractère imprescriptible de tous les crimes pour lesquels elle est compétente. Enfin, elle est instituée en juridiction *permanente* à même de lutter contre l'impunité par l'imposition de peines, en s'appuyant sur un texte juridique préétabli.

Le Statut de Rome présente cependant un déséquilibre important du point de vue des défenseurs des droits humains. Il ne prévoit pas que les victimes, individuellement ou collectivement, puissent porter plainte et se constituer partie civile. Les procès mettront face à face l'accusation et la défense, les victimes n'occupant que la place de témoins dans les phases d'instruction et à l'audience. Le texte du Statut de Rome ne mentionne les victimes (personnes physiques et personnes morales) que dans le préambule, dans les règles de procédure concernant la constitution et la présentation des preuves, et dans l'article consacré aux réparations matérielles des préjudices subis. Cette asymétrie entre les sujets de droit laisse entendre que le Procureur, les Etats et le Conseil de Sécurité représenteraient les victimes en justice. Du point de vue de l'opinion publique, ils semblent institués en délégués de la conscience universelle. Plus que jamais l'accès des victimes à la justice dépendra donc de la façon dont se forme cette conscience universelle, de ses sources d'information, de ses

1. *Le Moniteur de la Cour Pénale Internationale*, périodique de la Coalition pour la Cour Pénale Internationale, New York. Pour la version en français : http://www.iccnow.org

points d'aveuglement et de ses partis pris. L'histoire récente montre que des victimes visibles, relativement organisées, vivant dans des régions dotées de traditions juridiques et de systèmes d'information, fussent-ils muselés, ont beaucoup plus de chances de faire entendre leur voix et d'obtenir certaines formes de réparation morale et matérielle, comme ce fut le cas en Amérique latine. Que l'on envisage la CPI avec scepticisme ou avec espoir, la responsabilité de l'opinion internationale dans l'accès des victimes au droit reste entière.

La définition des crimes

Les articles 5 à 8 du Traité de Rome définissent les crimes pour lesquels la CPI aura compétence. Ils sont un véritable catalogue des horreurs en matière de violations massives et systématiques des droits de l'homme. Les trois grands types de crime définis sont : le crime de génocide, les crimes contre l'humanité et les crimes de guerre. Ils correspondent à des concepts déjà énoncés par les précédentes conventions internationales : convention sur la prévention et la répression du crime de génocide (1948), convention contre la torture, pacte relatif aux droits civils et politiques (1966), conventions de La Haye (1899 et 1907) et de Genève (1949) relatives aux droits de la guerre. Une lecture attentive des articles concernés fait apparaître de larges possibilités de poursuite. En effet, le crime de génocide et les crimes contre l'humanité sont passibles de poursuites, qu'ils aient été perpétrés dans un contexte de guerre ou non. Les crimes contre l'humanité incluent les persécutions massives pour raisons politiques (et non pas seulement raciales, ethniques, nationales, culturelles, religieuses). L'apartheid et les disparitions forcées font l'objet d'alinéas particuliers. Le Statut de Rome reconnaît également comme crime contre l'humanité les violences sexuelles telles que le viol, la prostitution forcée, la stérilisation forcée et la grossesse forcée, ce qui est dû dans une large mesure à la contribution apportée par les associations de femmes lors de l'élaboration des projets de Statut. Au chapitre des crimes de guerre, le plus détaillé, les normes s'appliquent non seulement aux conflits armés internationaux, mais aussi aux conflits armés internes entre les Etats et des groupes armés, ou entre groupes armés, ce qui couvre un grand nombre de situations potentiellement meurtrières pour les victimes civiles. Malheureusement, c'est aussi ce chapitre des crimes de guerre qui a donné lieu au plus grand nombre de clauses dictées par les prérogatives de souveraineté des Etats. L'impasse sur l'utilisation de l'arme nucléaire est totale. La France y est pour beaucoup, comme le montre la déclaration dont elle a accompagné la procédure de ratification du Traité. Cette ques-

36

tion était une pierre d'achoppement qui aurait pu faire échouer tout le processus de Rome, de sorte que l'absence du « crime nucléaire » apparaîtra soit comme une concession faite aux puissances nucléaires, soit comme la condition indispensable pour mettre en œuvre l'accord obtenu par négociation sur les autres points. Il était prévu que le crime d'agression soit examiné lors de la Conférence de Rome et inclus dans le statut, mais aucun accord n'a pu être trouvé, la définition de ce crime étant renvoyée à la procédure de révision qui aura lieu dans sept ans.

Le fait que les responsabilités soient imputées à des individus et non à des Etats rend extrêmement problématique la formulation du crime d'agression, qui est bien le fait des Etats. La justice de la CPI ne s'appliquera, en effet, qu'à des individus personnellement responsables. Dans le Statut de Rome, on ne rencontre pas la notion de responsabilité imputable à un Etat ou à un groupe criminel constitué comme tel. C'est la responsabilité pénale individuelle qui est cernée, dans le cadre de crimes à caractère systématique et organisé. Ainsi le paragraphe 28, en mettant l'accent de façon extrêmement détaillée sur la responsabilité des chefs et autres supérieurs, permet de mettre en cause les auteurs moraux d'un crime de masse, sans mettre en cause la responsabilité des Etats en tant que tels.

La reconnaissance du caractère universel des valeurs défendues par le texte, corollaire de l'énumération des crimes, ne relèverait que de l'idéal si l'on ne constatait qu'un certain nombre de pays marqués dans leur histoire récente par des crimes de masse, appartenant à des ensembles géopolitiques différents, n'avaient d'ores et déjà ratifié le Statut de Rome. Citons l'Argentine, la Bosnie-Herzégovine, le Cambodge, le Nigeria, la Sierra Leone. Ces ratifications sont un gage de légitimité pour la CPI. Elles reconnaissent le bien-fondé de la définition des crimes dans le Statut de Rome et habilitent une nouvelle juridiction à exercer ses compétences contre les criminels.

Le principe de juridiction universelle

Le caractère effectif de la peine encourue et l'exécution de cette peine sont les vrais gages que la CPI pourra donner à une opinion internationale attentive mais réservée. Nous ne saurions entrer dans le détail des procédures d'instruction, d'admissibilité des cas présentés à la CPI, de récusation, de suspension, d'appel. Comme dans toute institution judiciaire, ces procédures sont à la fois des garanties et des freins à l'exercice de la justice. Elles seront mises en œuvre par des magistrats réputés indépendants dans la mesure où ils seront élus par l'Assemblée des Etats-Parties, si cette élection se déroule dans des conditions d'équité. Dans l'examen des sources possibles de blocage, nous ne considérerons pas que les garanties accordées à la défense soient un obstacle à l'exercice de la justice internationale. Mais la triple procédure de saisine de la CPI, à elle seule, est porteuse de telles restrictions, qu'elle est, *de facto*, une limite considérable au principe de juridiction universelle. Il convient de bien en comprendre la portée, afin de ne pas se nourrir d'illusions.

En ce qui concerne l'initiative laissée aux Etats, seuls les Etats ayant ratifié le Statut de Rome peuvent saisir la CPI, à condition que le crime à juger ait été commis sur leur territoire ou par l'un de leurs ressortissants. Plus grand sera le nombre d'Etats-Parties, plus cette procédure de saisine sera applicable. La deuxième voie est ouverte par le Procureur, qui peut prendre l'initiative d'instruire une affaire, mais là encore à la condition que le crime ait été commis sur le territoire d'un Etat-Partie ou par l'un de ses ressortissants. Son impartialité présumée lui permet, certes, d'exercer une grande capacité d'initiative, mais dans des limites de procédure strictes. Reste une troisième possibilité de saisine, attribuée de manière asymétrique au Conseil de Sécurité, puisque celui-ci pourra demander à la Cour de se saisir d'une affaire en vertu du chapitre VII de la Charte des Nations Unies, y compris pour mettre en cause les ressortissants d'un Etat n'ayant pas ratifié le Statut de Rome, ou pour traiter d'un crime commis sur son territoire. Il revient au Procureur d'examiner l'admissibilité de cette demande, et de l'accepter ou de la refuser. Cette troisième voie accorde donc des pouvoirs d'initiative plus étendus au Conseil de Sécurité, puisqu'il peut en quelque sorte élargir les compétences juridictionnelles de la Cour. Il tombe cependant sous le sens que les procédures de blocage en vigueur au sein du Conseil de Sécurité, notamment le droit de veto des membres permanents, restreignent considérablement les possibilités réelles d'utiliser cette voie en l'absence d'un consensus politique.

Ce jeu à trois, énoncé dans quelques articles, laisse présager bien des manœuvres d'intimidation entre Etats-Parties ou de la part d'Etats non signataires envers les Etats-Parties, et bien des blocages au sein du Conseil de Sécurité. Ajoutons que celui-ci a le pouvoir de demander à la Cour de suspendre une instruction ou un procès pour un an dans l'intérêt de la paix. Malgré tout, cette juridiction à vocation universelle permet une extension sans précédent du champ d'application du droit international. Il faut souligner, en particulier, l'importance de l'article 27, qui stipule l'impossibilité de se prémunir d'une quelconque immunité, même dans le cas d'un chef d'Etat en exercice. N'est-ce pas l'une des lectures possibles du terme « universalité », celle d'une justice s'appliquant à tous ? La lecture en est si claire que plusieurs Etats tentent de se prémunir contre les effets de cette justice universelle. C'est ainsi que la France a imposé l'article 124, au terme duquel tout pays pourra récuser, lors de la ratification du traité, la compétence de la CPI en matière de crimes de guerre commis sur son territoire ou par ses ressortissants, pour une période de sept ans. Clause qualifiée de transitoire, mais qui n'en est pas moins un coup de canif dans le traité. Après l'entrée en vigueur du Statut de Rome, sous la pression des Etats-Unis, le Conseil de Sécurité a adopté, en juillet 2002, la résolution 1422 qui met à l'abri de toute poursuite son personnel civil et militaire engagé dans des opérations de paix mandatées par les Nations Unies. De telles arrogances ont pu masquer ce que la CPI porte de promesses. Si elles ne la disqualifient pas d'avance, elles montrent à quel point la volonté politique des Etats est déterminante.

Un aspect reste actuellement dans l'ombre, et ne pourra être éclairci que lors de l'instauration effective de la Cour. Le principe d'universalité se traduira-t-il, dans les faits, par une représentativité réelle des magistrats en termes d'origine géographique, de sexe, de traditions juridiques ? Cette justice, qui sera principalement financée par les Etats-Parties à proportion de leurs richesses, sera-t-elle une justice administrée dans un Tribunal siégeant à La Haye par des juges britanniques, français, canadiens ? Les condamnés purgeront-ils leur peine exclusivement dans les prisons des pays riches et puissants ? Quelles seront les langues respectives du procureur, des juges, des témoins, des accusés ? Quel sens feront ces « détails » pour l'opinion publique internationale et pour les victimes lointaines des crimes contre l'humanité ?

Le principe de complémentarité

L'instauration de la CPI est une amère conquête, dans la mesure où elle vient pallier le caractère inopérant des textes du droit positif international et l'inertie des Etats. Ni les garanties énoncées dans les pactes et conventions issus des Nations Unies, ni celles qui relèvent de chartes continentales des droits de l'homme n'ont été suivies d'effets tant que les seules juridictions nationales étaient compétentes pour juger les crimes reconnus. Pour autant, la CPI n'a pas vocation à se substituer systématiquement aux Etats. Ceux-ci ont le devoir de poursuivre les criminels, à plus forte raison s'ils ont ratifié des dispositions en matière de garanties des droits de l'homme. Le Statut de Rome respecte les juridictions pénales nationales, son action éventuelle n'ayant qu'un caractère complémentaire (article 1 du Statut). Des dispositions détaillées prévoient qu'un Etat peut faire valoir ses prérogatives à juger une affaire soumise à la CPI, et ce à tous les stades de la procédure, suspendant par là-même l'action du

Procureur. Cet Etat devra alors prouver devant les instances de la Cour qu'il s'est saisi de l'affaire, qu'il est compétent pour la juger en vertu de son ordre juridique interne, et qu'il est en mesure de le faire. Si les mécanismes d'interposition de la part des Etats sont nombreux, ils ne sont pas infinis, et c'est à la Cour de se prononcer sur leur validité, en conformité avec le Statut. Ces dispositions sont conçues comme une incitation à juger les criminels dans un cadre national et à mettre en conformité les législations nationales avec le Statut de Rome, notamment pour ce qui est de la définition des crimes. En effet, un Etat peut fort bien être compétent pour juger un présumé criminel pour tel ou tel chef d'inculpation, mais être incompétent pour un autre type de crime reconnu par le Statut de Rome. Il est donc de l'intérêt des Etats d'harmoniser leur législation pénale avec celle de la CPI s'ils veulent rendre la justice eux-mêmes, bien qu'ils ne soient pas obligés de transposer le nouveau droit pénal international en droit interne.

Il faut se garder de considérer la CPI comme une instance d'appel ou de recours. Le texte précise en effet qu'une personne ne peut être jugée deux fois pour la même cause, et qu'un criminel jugé par une juridiction nationale ne saurait être traduit devant la CPI pour les mêmes crimes. Afin que cette complémentarité s'exerce, le Procureur est tenu de faire savoir qu'il va procéder à une enquête lorsqu'une affaire lui est soumise, pour que l'Etat ou les Etats concernés puissent décider d'intenter eux-mêmes une action en justice. Paradoxalement, si la CPI est née du refus de l'impunité, son but ultime serait de ne pas avoir à exercer ses compétences. Elle ne les exercera que si les Etats ne veulent pas poursuivre — ou ne sont pas en mesure eux-mêmes de le faire — les crimes définis par le Statut de Rome.

Le mécanisme de complémentarité implique également l'obligation pour les Etats, notamment les Etats-Parties, de coopérer avec la Cour. Cette obligation est entendue au sens large et concerne les enquêtes, la recherche et la présentation de preuves, l'audition des témoins, l'interrogatoire des suspects, l'arrestation des criminels mis en cause, leur détention préventive, leur transfert devant la CPI, la saisie de leurs biens avant ou après le jugement. Tous les Etats ayant ratifié le Traité sont appelés à se doter d'instruments juridiques permettant cette coopération avec la CPI.

Elargissons maintenant la notion de complémentarité au delà du domaine juridique. Ne serait-il pas désastreux que l'existence d'un tribunal compétent pour juger des crimes de masse dissuade les Etats d'exercer leurs responsabilités politiques dans l'ordre international ? Le Tribunal pour l'ex-Yougoslavie n'est-il pas la rançon d'une terrible impuissance ? A cet égard, il est permis de douter du caractère dissuasif de la justice pénale internationale en l'absence d'autres solutions (politiques, économiques, sociales) apportées aux situations porteuses de conflits. De même, l'hypothétique exercice d'une justice *a posteriori* ne doit pas être un prétexte pour tolérer des persécutions sur un territoire national, quitte à demander ensuite à la Cour de les poursuivre. L'impuissance, l'inertie et le manque de volonté des Etats justifient pleinement l'existence de la CPI. Il serait pour le moins paradoxal qu'elle en vienne à leur servir d'alibi. La justice pénale internationale est complémentaire de la justice pénale nationale, mais non des obligations démocratiques, ni de l'exercice du monopole légitime de la violence.

La justice pénale internationale n'agira pas non plus en complémentarité d'initiatives telles que le Tribunal Russell sur le Vietnam et l'Amérique latine, dont Jean-Paul Sartre déclarait, à l'ouverture de la première session, à Stockholm, en 1967 : « Le Tribunal Russell estime que sa légitimité vient à la fois de sa parfaite impuissance et de son universalité[2]. » Il s'agissait d'un tribunal d'opinion émanant d'un petit groupe d'artistes, d'écrivains et d'intellectuels. Son domaine était la responsabilité des Etats dans les atteintes au droit des peuples à disposer d'eux-mêmes. Il faut souligner que les fondateurs du Tribunal Russell recherchaient une articulation entre les droits des peuples et les droits de l'homme. Ils demandaient qu'un véritable Tribunal contre les crimes de guerre soit créé à titre d'organisme permanent, c'est-à-dire que ces crimes puissent être, partout et à tout instant, dénoncés et sanctionnés. A leur manière, ils ont eux aussi ouvert la voie à la CPI, même s'ils se situaient clairement en dehors des institutions internationales établies. N'est-il pas aujourd'hui de notre ressort de chercher des formes de complémentarité non juridiques avec la CPI ?

L'individualisation de la faute

Interrogeons-nous, enfin, sur une autre forme de limite posée d'avance aux ambitions du Statut de Rome. La CPI n'aura pas à connaître la responsabilité des Etats en tant que tels dans la perpétration de crimes. Elle n'inculpera et ne condamnera que des individus. Où, comment, par quelles instances les Etats pratiquant le terrorisme d'Etat, les persécutions raciales ou religieuses — sans parler du génocide — seront-ils mis en cause ? A ce jour, la question n'est pas résolue. La Commission des Droits de l'homme de l'ONU n'est qu'une instance morale de réprobation dont les condamnations ont très peu de répercussions. Les résolutions du

---

2. François Rigaux, *Pour une déclaration universelle des droits des peuples. Identité nationale et coopération internationale.* La Vie Ouvrière, Bruxelles, 1990.

Conseil de Sécurité, quand bien même elles seraient suivies d'effets, ne visent pas la justice mais le maintien ou le rétablissement de la paix. Or, l'idée même d'une conscience universelle peut-elle s'attacher au seul sort des victimes et à l'iniquité de persécuteurs renvoyés à une faute individuelle et punis comme tels ? Faire le procès d'un homme, futur Pol Pot, Pinochet, Mobutu ou Mengele, n'est-ce pas dissocier la faute d'un individu de l'horreur d'un système ?

Il est fort douteux que les victimes elles-mêmes s'envisagent d'abord comme les victimes d'une ou de plusieurs personnes nommément désignées, et non pas d'un système de persécution — qu'il s'agisse d'épuration ethnique ou de disparitions massives. A propos de la réparation de préjudices matériels, on peut se demander si les victimes pourront se satisfaire d'indemnités imputées sur les biens personnels de leurs persécuteurs, lorsque l'Etat sur le territoire duquel les crimes auront été commis, peut-être à son instigation, n'engagera pas sa responsabilité. Certes, le caractère imprescriptible des crimes exige que ceux-ci puissent être poursuivis même une fois que l'Etat qui les a commis ou tolérés a disparu ou changé de forme. Certes, la notion de responsabilité collective se prête beaucoup trop à la dissolution des responsabilités individuelles ou à l'amalgame abusif pour qu'on la transcrive dans une procédure judiciaire. Mais la question de la solidarité organisée des bourreaux est un point aveugle du Statut de Rome, alors même que la solidarité collective envers les victimes de toutes les violations systématiques des droits de l'homme a présidé à la création de la CPI, par le concours que lui ont prêté les associations de défense des droits humains.

La condamnation et l'obligation de dédommagement pesant sur l'organisateur d'une déportation, sur le complice d'un viol collectif, sur l'officier ayant exécuté des prisonniers, est-elle une justice satisfaisante, non seulement pour les victimes elles-mêmes, mais encore pour la conscience universelle ? Comment mobiliser désormais, en faveur de la CPI, cette partie de l'opinion internationale qui se réclame d'une conscience universelle s'il s'agit de condamner des criminels, sans relier explicitement leur crime au système qui l'a prescrit ou favorisé ? L'individu institué en *alpha* et *oméga* du monde fait ici une bien surprenante figuration, insignifiante au regard du nombre réel des fauteurs de massacre, symboliquement investie des principes du nouveau droit pénal international, érigée en exemple. Nous aurions tort, cependant, de mépriser cet exemple au nom de nos aspirations de justiciers universels.

SYLVIE KOLLER
Septembre 2002

42

Pédophilie, sexualité
et société

| Cécile Sales

« JE SUIS venu vous parler pour essayer de vivre après ce qui m'est arrivé lorsque j'étais enfant ; et aussi parce que j'ai tellement peur que l'attirance que j'éprouve pour les petits qui ont l'âge que j'avais quand tout a commencé me pousse à commettre un acte que jamais je ne me pardonnerai. » Ces paroles d'un jeune homme, hanté par des cauchemars, qui se martèle la tête contre les murs et a des conduites d'automutilation proches du suicide, introduisent d'emblée au drame qu'est la pédophilie.

Le mot pédophile, issu du grec (*pais*, enfant, et *phileo*, aimer), signifie qui aime les enfants et désigne plus précisément l'individu qui éprouve et met en acte une attraction sexuelle pour les enfants, quel que soit son sexe. La pédophilie est considérée par l'Organisation Mondiale de la Santé comme un trouble de la préférence sexuelle ; nous verrons qu'elle englobe des typologies très différentes.

Dans les cas de pédophilie [1], la satisfaction, le plaisir sont obtenus par l'assujettissement, la domination ou/et la maltraitance de l'enfant. Le pédophile semble fixé à un stade infantile de son développement sexuel, comme s'il n'avait pu accéder à une sexualité génitale adulte ou que celle-ci ne le satisfasse que partiellement. Dans l'idéal, celle-ci est l'aboutissement d'une lente évolution et d'une construction psychique

1. Ni la pédophilie, ni l'inceste ne figurent dans le code civil ou pénal. Le droit français traite seulement des agressions sexuelles définies comme « toute atteinte sexuelle commise avec violence, contrainte, menace ou surprise », la pédophilie étant considérée comme une agression sexuelle aggravée, car perpétrée par une personne ayant autorité.

| Psychanalyste.

complexe, qui conduit le petit enfant avide de tous les plaisirs et de toutes les expériences de jouissance (le pervers polymorphe de Freud) à la découverte du plaisir sexuel adulte.

L'accession de chacun d'entre nous à la sexualité n'est pas une histoire simple : l'éducation et le passé familial, le hasard des rencontres, la découverte de la sexualité et de la différence des sexes, l'influence du milieu et de la société, se conjuguent avec ce qui constitue notre être propre, notre sensibilité, notre histoire individuelle et notre imaginaire, sans que l'on puisse toujours déterminer les facteurs conduisant à des déviances sexuelles. Savoir avec certitude pourquoi les différentes pulsions présentes chez l'enfant n'ont pu s'harmoniser à l'âge adulte est problématique et dépend de la capacité et du désir des personnes concernées à s'interroger sur elles-mêmes. Pour ce qui est des pédophiles, on constate très souvent qu'ils ont été eux-mêmes, étant enfants, victimes de la séduction d'un adulte, ce qui les a conduits à rester psychiquement fixés à cette période traumatique de leur vie.

Profils pédophiles

Les pédophiles sont difficiles à démasquer. La plupart du temps, leur comportement est dissimulé sous une normalité trompeuse. Certains d'entre eux sont totalement « clivés », leurs actes pédophiles constituant une sorte de domaine isolé, séparé du reste de leur vie. Lorsque le scandale éclate, il n'est pas rare que leurs connaissances, parfois même leur très proche famille, soient stupéfaites. D'autres, restés immatures sur le plan affectif et sexuel, sont exclusivement attirés par les enfants ; d'autres, enfin, inhibés dans leurs relations avec les adultes, notamment ceux du sexe opposé au leur, se tournent par défaut vers les enfants, qui leur servent de substitut. Certains revendiquent même leurs conduites sexuelles et les justifient sous couvert du droit au plaisir des enfants, d'éducation et d'épanouissement sexuels. Ainsi Jacques Dugué, « photographe » âgé de 65 ans, arrêté pour pédophilie en 2000, écrit-il dans une tribune de *Libération* : « Tous les garçons que j'ai connus m'ont aimé. Ils ont toujours aimé et voulu tout ce que nous avons fait ensemble... Ça ne leur fait aucun mal[2]. »

Il y a pire encore, ceux qui se servent du corps des enfants comme de simples objets pour assouvir leurs pulsions

2. Cité dans *Le Livre de la honte. Les réseaux pédophiles*, de Laurence Beneux et Serge Garde, Le Cherche-Midi éditeur, 2001, 244 pages.

44

les plus dépravées, pratiquent le tourisme sexuel, les utilisent dans des scénarios filmés, photographiés, pratiquent la peur, la torture, voire le meurtre, et/ou participent à des réseaux : l'affaire Dutroux, celle des disparues de l'Yonne, celle du cd-rom de Zandvoort (répertoire photographique d'origine néerlandaise contenant plus de 8 000 photos)[3], le développement de la prostitution infantile, sont autant d'exemples posant crûment la question de l'existence de réseaux organisés, favorisés ces derniers temps et, avant que la législation ne soit plus sévère, par l'existence d'internet. Le démantèlement de tel ou tel d'entre eux dont la presse se fait régulièrement l'écho constitue bien une preuve pour ceux qui douteraient de leur existence.

3. Cf. *Le Livre de la honte*, op. cit.

La majorité des pédophiles sont des hommes ; le plus souvent il s'agit d'un proche parent (donc, de cas d'inceste) ou d'un familier avec lequel l'enfant ou un membre de sa famille a tissé des liens privilégiés. Les statistiques mentionnent peu de femmes pédophiles, mais les incestes mère-fils ou les conduites incestueuses sont loin d'être rares si l'on en croit des thérapeutes d'enfants[4] ou certaines recherches[5] et des faits divers récents selon lesquels le nombre des femmes pédophiles ne serait pas négligeable. Cette pédophilie féminine, moins violente, donc moins voyante, serait seulement mieux tolérée par la société. « Quand j'avais quinze ans, ma sœur aînée qui nous élevait, nous les petits, m'a fait coucher avec elle... Je ne connais rien de plus hideux que le sexe féminin », confie cet homme d'une quarantaine d'années qui lutte contre ses pulsions pédophiles.

4. Cf. *L'Enfant violenté. Les mauvais traitements de l'inceste,* de Michelle Rouyer et Marie Drouet ; Païdos-Le Centurion, 1986, 248 pages.

5. Dr David Miller, in *Le Drame de la pédophilie,* de Liliane Binard et Jean-Luc Clouard, Albin Michel, 1997, 260 pages.

Les pédophiles appartiennent à toutes les classes de la société, du diplomate au manutentionnaire, mais, le plus fréquemment, ils exercent un métier ou des activités les mettant en contact avec les enfants, que ce choix ait été délibéré ou inconscient : enseignants, éducateurs, magistrats, pédiatres, animateurs culturels ou sportifs, prêtres censés exercer un magistère spirituel... Abuser ainsi de l'autorité et de la confiance que leur confèrent leur rôle et la place qu'ils occupent auprès des enfants constitue d'ailleurs un facteur aggravant pris en compte par la loi.

Si les abus sexuels diffèrent en gravité depuis un climat, des regards, des attouchements, jusqu'à des viols caractérisés, des tortures, des meurtres, en passant par des exhibitions, des masturbations, des contacts buccaux, génitaux et anaux, des prises de photos ou de films, des projections de cassettes pornographiques, il s'agit dans tous les cas d'un acte de pouvoir d'un adulte sur un enfant : il s'en empare pour en faire l'objet de son plaisir et de sa jouissance, sans se soucier des dégâts psychiques qu'il provoque, que d'ailleurs il nie ou banalise très souvent, notamment quand est revendiqué l'éveil précoce de la sexualité chez l'enfant pré-pubère.

Les traumatismes subis

Avec la pédophilie, la sexualité fait irruption dans la vie de l'enfant à un moment où il n'est pas prêt psychiquement à la vivre — ce qui constitue pour lui un traumatisme. Stupéfaction, chaos, mort, néant, effraction impensable, irreprésentable... tels sont quelques-uns des mots qui qualifient ce trauma. Il s'agit d'un choc violent qui dépasse les forces de réaction et de compréhension de l'enfant, qui le déconstruit psychiquement, entraîne des réactions pathologiques et la mise en place de différents mécanismes de défense, dont, par exemple, la tentative de refoulement : le trauma ne peut être intégré au niveau conscient, mais subsiste souterrainement, de façon isolée, tout en continuant à parasiter silencieusement la vie du sujet. Ainsi s'explique le fait, généralement incompris, que le souvenir des abus sexuels réapparaisse des années après, le plus souvent au cours de thérapies ou lors de circonstances banales de la vie qui font brusquement ressurgir le passé. « Mon amie m'avait demandé de garder sa fille de 16 mois, dit cette jeune femme. Comme elle était sale, je l'ai changée et j'ai éprouvé une violente envie de la masturber... J'étais horrifiée par cette pensée... Et puis, tout à coup, une évidence... On m'a fait ça à moi ! On m'a fait ça à moi ! C'est pour ça que je ne supporte pas la pénétration, ni cette conne de gynéco qui me traite de mijaurée. »

On conçoit mieux comment, à partir d'un trauma, se constituent des personnalités « clivées » ou multiples : l'individu a mis totalement à l'écart certains aspects de son histoire et de lui-même ; il fonctionne comme s'il était deux, parfois même plusieurs personnes différentes ; c'est ainsi qu'il ne se reconnaît pas dans le comportement ou l'acte qu'on lui attribue.

Dans tous les cas, les agressions ou attouchements sexuels sont lourds de conséquences pour l'enfant, même s'il est difficile de généraliser : dans le domaine psychique, toutes les causes ne produisent pas les mêmes effets. Certains parviennent, par la suite, à faire œuvre créatrice, comme si leur souffrance et le trauma subi leur avaient servi de terreau : on pense à la notion de résilience défendue par Boris Cyrulnik dans *Un merveilleux malheur*[6] : « Toute situation extrême, en tant que processus de destruction de la vie, renferme paradoxalement un potentiel de vie, précisément là où la vie s'était brisée... », à la condition essentielle, reconnaît-il, que l'épreuve ait pu être surmontée.

Or, plus la victime est jeune, ignorante de la sexualité adulte, dépourvue de mots pour formuler ce qui est survenu, plus grave est le traumatisme. On peut le déceler chez les tout jeunes enfants à partir d'une modification du comportement : masturbation compulsive, régressions dans le développement, énurésie, encoprésie, troubles du langage et de l'alimentation... Lorsqu'il est plus âgé, l'enfant adopte souvent une attitude de provocation sexuelle surprenante et déplacée envers ses pairs ou des adultes : « La séduction fait de l'enfant un objet sexuel prématuré, et lui apprend à connaître, dans des conditions impressionnantes, la satisfaction de la zone génitale ; l'enfant sera poussé le plus souvent à renouveler ces impressions par la pratique de l'onanisme », écrira Freud[7]. A l'adolescence, ou devenu adulte, s'il n'a pu évoquer en leur temps les abus dont il a été victime, il risque de souffrir de boulimie, d'anorexie, de troubles de l'identité sexuelle, de frigidité, de stérilité, d'impuissance, de nymphomanie, de voyeurisme, de difficultés à accepter la maternité ou la paternité, etc.

Les ravages de la séduction

Lorsque l'enfant a été violenté physiquement, les dégâts psychiques sont parfois moins graves : il peut alors se révolter contre qui l'a fait souffrir. Mais lorsqu'il s'agit d'adultes plus ou moins proches, ou d'adolescents plus âgés que lui, jouissant de prestige, familiers, ayant autorité sur lui et qui s'appuient sur les relations tendres entre eux, la trahison de la confiance accroît les troubles psychiques. Dans un article célèbre et toujours actuel, si justement appelé « la confusion

6. Boris Cyrulnik, *Un merveilleux malheur*, Odile Jacob, 1996, 238 pages.

7. Sigmund Freud, *Trois essais sur la théorie de la sexualité*, Idées/Gallimard, 190 pages.

des langues entre les adultes et les enfants », Ferenczi décrit cette inadéquation psychique entre l'adulte et l'enfant : « Elles [les séductions incestueuses] se produisent ainsi. Un adulte et un enfant s'aiment ; l'enfant a des fantasmes ludiques, comme de jouer un rôle maternel à l'égard de l'adulte. Ce jeu peut prendre une forme érotique, mais il reste pourtant toujours au niveau de la tendresse. Il n'en est pas de même chez les adultes... Ils confondent les jeux des enfants avec les désirs d'une personne ayant atteint la maturité sexuelle, et se laissent entraîner à des actes sexuels sans penser aux conséquences... De véritables viols de fillettes, à peine sorties de la première enfance, des rapports sexuels entre des femmes mûres et des jeunes garçons, ainsi que des actes sexuels imposés, à caractère homosexuel, sont fréquents[8]. » Une jeune femme qui n'avait pas encore vécu de relations sexuelles avec un homme a pu dire : « Mon père était très doux. Il s'allongeait le soir contre moi pour m'endormir. Il me caressait très tendrement... Bien plus tard, en thérapie, j'ai pu lui en parler. Il n'a pas nié. Il a été très mal. Ma mère, elle, n'a jamais voulu y croire... je fabulais. »

8. Sandor Ferenczi, *Psychanalyse IV (1927-1933)*, Payot, 1990.

L'identification à l'agresseur est l'une des conséquences les plus terrifiantes de ces abus sexuels, et c'est encore à Ferenczi que revient le mérite d'avoir décrit ce mécanisme qui transforme les anciennes victimes en agresseurs potentiels : « Si l'enfant se remet d'une telle agression, il en ressent une énorme confusion : à vrai dire, il est déjà "clivé", à la fois innocent et coupable, et sa confiance dans le témoignage de ses propres sens est brisée... La personnalité encore faiblement développée réagit au brusque déplaisir, non par la défense, mais par l'identification anxieuse et l'introjection de celui qui la menace ou l'agresse[9]. » Ainsi se constitue trop souvent une transmission tragique : le même individu porte une double souffrance, celle vécue hier, enfant ; celle qu'aujourd'hui, adulte, il inflige à un nouvel enfant : séduit, il devient séducteur. On sait combien cette chaîne de répétition sinistre est fréquente parmi les individus condamnés pour inceste ou pédophilie.

9. Sandor Ferenczi, *op. cit.*

Contrairement à ce que l'on croit, les patients n'évoquent pas facilement la séduction dont ils ont été victimes dans leur jeune âge, et dont ils gardent une forte et complexe culpabilité, une disposition à se mettre en situation d'objet face à autrui. De ce fait, ils éprouvent une grande difficulté à s'affirmer par des actes, comme s'ils restaient enclos dans la position passive qui fut la leur. Il leur faut beaucoup de temps, parfois des années, pour en parler. Certains ont déjà été en analyse ou en thérapie sans avoir abordé le sujet, se contentant de le contourner, en espérant confusément que le « psy » devinerait leur secret.

L'enfermement du silence

Diverses raisons, isolées ou cumulatives, expliquent un silence si difficile à briser : un refoulement partiellement réussi ; la peur de ne pas être cru ; le refus de repenser à l'innommable ; la protection du séducteur ; la honte, la culpabilité parce que cette séduction répondait à un fantasme inconscient ; parfois l'impardonnable plaisir éprouvé au moment des faits ; ou les conduites déviantes qui ont découlé de cette découverte trop précoce du plaisir sexuel. Comme ce jeune homme : « Mes seuls souvenirs de bonheur sexuel, c'est à dix ans, avec le meilleur ami d'un de mes frères. Ça m'a bousillé. J'ai tout fait : la drogue, l'alcool, la prostitution... Faire l'amour avec une femme, je trouve ça chiant. »

Contre son gré, l'ancienne victime conserve une attitude identique dans tous les champs relationnels : difficulté à s'affirmer vis-à-vis de l'autre, acceptation de la manipulation, soumission passive. On continue à abuser de lui ou d'elle ; il ou elle persiste à tenter de satisfaire l'autre dont le désir reste prééminent par rapport au sien, évanoui, aboli. Cette jeune femme, victime d'attouchements sexuels dans l'enfance : « Je me suis fait une fois de plus humilier par mon patron. Il y prend du plaisir, mais c'est plus fort que moi, je ne peux m'opposer à lui. » Quand, soumis depuis l'enfance à tous ceux qui ont occupé sans le savoir la place du premier séducteur, les uns ou les autres parviennent à se libérer de leur culpabilité, quand ils s'autorisent à percevoir leur propre désir, se sentent prêts à faire entendre leur voix et à refuser la loi de l'autre, comme par hasard, ils ne rencontrent plus de tels abus. Ils ont en quelque sorte acquis une nouvelle position psychique leur permettant de résister au désir de l'autre. Sans que rien n'ait été formulé, celui-ci sent qu'il a désormais perdu son pouvoir.

Il n'est pas rare non plus de déceler les traces d'histoires passées, celles des parents ou des grands-parents ; histoires tues, jalousement gardées secrètes pour, entre autres, épargner la génération suivante, alors que ce silence agit, conditionne attitudes et paroles, et se révèle beaucoup plus pathogène que la reconnaissance de la vérité et du tort subi. Ainsi cette femme, proche de la quarantaine, qui depuis toujours s'interrogeait sur sa mère : « Enfin, elle a pu me parler. De sa puberté à son mariage, elle a été violée par son frère aîné... Des choses incompréhensibles s'éclairent !... Comme je comprends mieux ta folie, ma mère ! Et celle où tu m'as mise !... »

Le choc de faits divers comme l'affaire Dutroux, les procès de différents cas de pédophilie mettant en cause des instituteurs ou des prêtres, la publication de témoignages, de même que la loi de 1998 renforçant la protection des mineurs, sont autant de facteurs qui ont favorisé la levée progressive du silence. Mieux écoutées aujourd'hui, les victimes hésitent moins à s'exprimer ; les mères, plus attentives, s'inquiètent de certains symptômes relevés sur leurs enfants ; avec, parfois, des effets pervers, comme dans le cas de certains divorces où la mère tente de manipuler son enfant pour en obtenir la garde exclusive ou pour se venger de son ancien compagnon. Les cas, dans la réalité, ne semblent guère fréquents ; et, désormais, les tribunaux, mieux avertis, prêtent une plus grande attention à la parole de l'enfant, via les psychologues spécialisés.

La responsabilité des adultes

Plus encore que l'augmentation des chiffres officiels des agressions sexuelles [10], c'est leur changement de nature qui inquiète : les abus sexuels entre mineurs, qui ont triplé entre 1994 et 1999 ; l'apparition des « tournantes », ces viols collectifs commis par des adolescents ou de jeunes hommes sur des jeunes filles ; et la vulgarisation du porno. Selon *Libération* (n° du 23 mai 2002), tous milieux confondus : à l'âge de 10-11 ans un enfant sur deux aurait vu des films porno ; les jeunes en visionneraient facilement un ou deux par semaine ; et les filles, d'abord réticentes, deviendraient à leur tour « pornophiles ». Cette imprégnation par le *hard* et les violences sexuelles dont les jeunes femmes sont victimes risquent d'entraîner, outre des séquelles d'ordre strictement sexuel, une dégradation durable des relations entre les sexes, enfermés dans une méconnaissance de ce qu'ils sont réellement et de ce qu'ils recherchent dans la rencontre avec l'autre.

10. En 1999, les données du ministère de l'Intérieur font état de 13 000 agressions sexuelles, dont un tiers de viols ; au 1er janvier 2001, le quart de la population pénale, soit 7 101 détenus, subissait une peine prononcée pour viol ou agression sexuelle ; le nombre de condamnations pour viol a augmenté de plus de 70 % entre 1984 et 1997.

Nous voici, apparemment, bien loin de la pédophilie. Est-ce si sûr ? S'il est, hélas, évident que celle-ci existera toujours, on peut valablement se demander si l'augmentation des cas n'est pas liée à certaines caractéristiques de notre société. On semble découvrir avec indignation la violence sexuelle des adolescents. Scandale ! Dire que ce sont nos enfants ! Vite, cherchons un bouc émissaire ! Vite, recourons à l'Etat et modifions la loi ! Pourquoi, d'abord, ne pas nous interroger sur nous-mêmes ? Dans quelle mesure ne participons-nous pas à cette ambiance hypersexualisée où le sexe est mis à nu, exhibé, banalisé ?

Nombre d'adultes semblent pris au vertige de leur propre enfance ; ils refusent de grandir et adoptent des comportements régressifs. Cette tendance, manifeste depuis quelque temps déjà, semble s'accentuer au point d'attirer l'attention des sociologues et que se crée un mot nouveau : « les adulescents ». On est frappé par certains traits qui révèlent une infantilisation assez générale : l'impatience, le résultat immédiat, le désir réalisé tout de suite ; le déni de la réalité et des résistances, le refus de la complexité des choses et du vieillissement ; la primauté de l'émotionnel et de l'affectif sur le raisonnement... Bref, un adulte plus proche de l'enfance que de son âge propre, narcissique, impudique — rêvant de raconter sa vie à la télévision — et pulsionnel.

Comment des adultes infantiles ou infantilisés peuvent-ils assumer le rôle de parents ? A vrai dire, ils paraissent coincés entre leur difficulté à quitter le monde de l'enfance et de la jouissance immédiate et celle d'assumer, avec une exigence accrue par rapport aux générations précédentes, des responsabilités parentales. Jamais les parents n'ont autant sollicité de conseils pour éduquer leurs enfants ; ils se montrent souvent incapables de prendre seuls des décisions apparemment simples : redoublement, permissions de sorties, choix d'activités péri-scolaires, relation avec le parent divorcé...

Sûrement plus soucieux que jadis de l'épanouissement de leur progéniture, ils n'osent guère faire preuve d'autorité et poser des interdits, comme si tout affrontement mettait leur amour en péril. Cette crainte — la perte d'amour, qui renvoie également à leur position infantile — les met dans une position de faiblesse pouvant aller jusqu'à une véritable soumission à leurs enfants, dont ils acceptent l'insolence, voire la maltraitance. Le parent apparaît plus dépendant, affectivement, de l'enfant dont il sollicite l'avis, qu'il met dans la confidence de ce qui concerne sa propre vie. Trop souvent la relation semble s'inverser et l'enfant faire la loi. Lorsque le parent ne se pose plus en référence, les repères générationnels se brouillent ; rien ne vient marquer la coupure ; on est dans la confusion.

L'enfant, notre « égal paradoxal »

Il est vrai que les relations adultes-enfants, parents-enfants, qu'on se plaît à idéaliser, sont bien plus complexes qu'il n'y paraît. Tout enfant, à commencer par le nôtre, inséparable de notre moi le plus intime, reste pourtant cet « étranger absolu[11] » sur lequel nous projetons, dans le plus grand désordre, les souvenirs de notre propre enfance, nos espoirs, nos fantasmes ; vis-à-vis duquel nous éprouvons une épuisante ambivalence de sentiments, de l'amour le plus absolu à la haine la plus secrète ; avec lequel nous avons grand mal à établir la bonne distance. Souvent, sous la sollicitude et l'amour idéalisé, gît une hostilité souterraine ou des désirs inavouables (combien de pédophiles se cachent parmi les zélés croisés de la cause enfantine ?) ! Ainsi que le constatent bien des thérapeutes[12], l'enfant qui subit sévices et maltraitance n'existe pas pour lui-même : il est à la fois un rêve idéalisé dont le deuil est impossible, un fantôme surgi du passé parental, un objet manipulé et manipulable. Cet amour/haine se rejoue sur le plan de la société : d'un côté, on idéalise l'enfant, foncièrement bon, innocent et victime, bouc émissaire de la violence des adultes ; de l'autre, on refuse de lui reconnaître une spécificité quelconque, on veut le soumettre aux mêmes normes que les adultes.

Au terme de cette réflexion, on s'interroge : Que faire ? Plusieurs pistes s'offrent à nous : ne pas rester passif ; balayer devant notre porte ; ne pas rejeter sur d'autres — la société, l'Etat, les institutions, les « psy » — ce qui relève de nous-même[13]. L'enfant, « notre égal paradoxal », selon la belle formule d'Alain Renaut[14], à la fois notre semblable et être encore

11. Rémi Puyuelo, *L'Enfant du jour, l'enfant de la nuit*, Delachaux et Nieslé, 2002, 320 pages.

12. *L'Enfant violenté*, op. cit.

13. Le service information et communication de la Conférence des évêques de France a publié récemment un excellent opuscule : « Lutter contre la pédophilie ».

14. Alain Renaut, *La Libération des enfants*, Bayard/ Calmann-Lévy, 2002, 396 pages.

inachevé, a un besoin absolu de nous, adultes, pour être éduqué et advenir à lui-même. La relation parent/enfant ne va pas de soi : elle passe par la parole, des échanges, la confrontation, le risque assumé de ruptures momentanées. Elle exige des parents qu'ils osent transmettre ce qui constitue leurs valeurs fondamentales, ce à quoi ils font référence au plus profond d'eux-mêmes pour étayer leur propre vie. Elle requiert un sursaut : que nous cessions d'abandonner une partie de notre liberté et de notre responsabilité individuelle aux bras caressants et étouffants de l'Etat-Mère dénoncé récemment par Michel Schneider [15].

Il serait trop tentant de s'en remettre à lui pour tout, de le laisser légiférer ou de lui demander de le faire dans tous les domaines, et plus particulièrement dans celui de la sexualité. Certes, il n'est pas question ici de remettre en cause la loi de 1998 sur la prévention et la répression des infractions sexuelles, ni sur la protection des mineurs, mais on peut s'interroger — comme certains ne manquent pas de le faire [16] — sur l'extension récente de la loi sur le harcèlement, sur les projets de réglementation de la prostitution, sur le fait que la France soit, en Europe, le pays où, en matière d'agressions sexuelles, les peines sont les plus nombreuses et les plus longues.

Réduire la violence sexuelle, limiter l'étalage d'une pornographie révoltante, certes ! Mais rêver d'une sexualité sage, ordonnée, codifiée, c'est aller à l'encontre de ce qui nous constitue en tant qu'hommes et femmes, en tant qu'êtres de liberté et de différence. Ce serait prendre le risque de réduire la sexualité au sexe dans sa pure anatomie, en oubliant que, dans la sexualité, s'opère la mystérieuse alchimie, l'alliage tendu entre notre esprit et notre corps — lieu unique de la plus intime relation à l'autre.

CÉCILE SALES

15. Michel Schneider, *Big Mother. Psychopathologie de la vie politique*, Odile Jacob, 2002, 336 pages.

16. Citons, dans le désordre, les prises de position dans la presse de : Odon Vallet, Marcela Iacub et Patrice Maniglier, Michel Schneider, et d'autres...

projet

272

hiver
2002/2003

Migrations et frontières

Depuis 1974, date de la "fermeture des frontières françaises", les migrations se cherchent de nouveaux territoires. L'Europe des quinze, bientôt des vingt-cinq, sera-t-elle une frontière barricadée ? Peut-être pas, car les itinéraires des migrations internationales se jouent finalement des frontières. Entre la multi-plication des contrôles et la trop grande ouverture, comment formaliser les règles de passage et les modes d'accès à la citoyenneté ?

Violaine Carrère, Albano Cordeiro, Christophe Daadouch
Philippe Dewitte, Jean-Pierre Guengant, Emmanuelle Le Texier
Rémy Leveau, Gildas Simon, Stéphane de Tapia
Catherine Withol de Wenden, Driss el Yazami

ITINERAIRE *Entretien avec* Jean-Christophe Rufin

EN VENTE DANS TOUTES LES LIBRAIRIES ● ● ● ● ● ● ● ● ● 144 P., 11,50 € étr. 12,50

BULLETIN DE COMMANDE

❑ Je souhaite commander le n° 272 de *Projet* au tarif de 11,50 €.

Nom & prénom : ....

Adresse : ....

Code postal : .... Ville : .... Date : ....

Deux degrés
de la démocratie

Jean-Yves Calvez

L E MOT « démocratie » a au moins deux sens ; c'est une raison de revenir sur ce grand sujet, si négligé aujourd'hui. Car la démocratie est, d'un côté, un bien à préserver, une situation salutaire, le régime le moins mauvais entre tous... puisque tous seraient sinon mauvais, du moins médiocres. Mais c'est aussi un haut idéal, l'idéal du politique même, et donc — je voudrais le rappeler ici —, une tâche, une entreprise ; non plus une sécurité, mais un effort à consentir. Or nous y consentons rarement. Nous avons plutôt tendance à penser que la démocratie nous est due.

Une protection

Alain Touraine expliquait, en 1994, comment, ayant expérimenté les totalitarismes — la démocratie totalitaire, la démocratie populaire —, « nous nous sommes repliés sur une conception modeste de la démocratie, définie comme un ensemble de garanties contre l'arrivée ou le maintien au pouvoir de dirigeants contre la volonté de la majorité[1] ». Position insuffisante, nous le savons : elle ne prémunit pas contre la puissance des maîtres de l'argent et de l'information ; elle ne garantit pas une bonne représentation, et elle ne permet guère

1. *Qu'est-ce que la démocratie ?* Livre de Poche, Biblio/Essais, 1994, p. 8.

Centre Sèvres, Paris.

de participation à la décision. Du moins est-on à l'abri du pire ! On se méfie tant de toute « conception du bien » imposée de l'extérieur, ou de toute croyance, qu'on préfère cette médiocrité[2].

Ainsi, aucun homme ne prime définitivement ou absolument sur l'homme, s'il est vrai que nul homme n'a par nature le droit de dominer et de gouverner un autre homme, selon le mot de saint Augustin largement repris ensuite. En France, l'art. 3 de la Constitution de 1958 (notre actuelle Constitution) dit : « La souveraineté nationale appartient au peuple [...], aucune section du peuple ni aucun individu ne peut s'en attribuer l'exercice. » On fait, en pratique, confiance au grand nombre plutôt qu'au petit, fût-ce le petit nombre des personnes détenant compétence et capacité. On suppose une sagesse particulière du peuple, sagesse de l'homme ordinaire, si l'on veut. L'argument n'est pas sans valeur.

C'est par cet argument que Pie XII, pendant la seconde guerre mondiale, en vint à vanter la démocratie, dont l'Eglise s'était, on le sait, longtemps méfiée auparavant : si les peuples, les majorités, avaient eu leur mot à dire, expliquait Pie XII en 1944, les catastrophes de la seconde guerre mondiale auraient été évitées ! Ce n'est d'ailleurs pas tant le nombre qui était en cause à ses yeux, que la situation des gens aptes à pâtir des décisions — les dirigeants, quant à eux, risquant de demeurer insensibles, enfermés dans leurs illusions et leurs bunkers.

Jacques Maritain, qui a sans doute eu une influence sur Pie XII dans ce rapprochement de la démocratie, voyait en elle un primat « de l'homme de l'humanité commune » :

> Petit peuple de Dieu, écrit-il, peuple royal appelé au partage de l'œuvre du Christ ; peuple comme communauté des citoyens d'un pays unie sous de justes lois ; peuple comme communauté du travail manuel et comme réserve et ressource de l'humanité dans ceux qui peinent près de la nature[3].

Ceux en qui j'ai confiance, poursuivait Maritain,

> c'est la grande multitude de ceux qui, engagés dans les structures morales et sociales, si humbles soient-elles, de l'existence civilisée, et des groupements où s'éveille la conscience collective, s'acquittent des tâches communes, de la grande œuvre élémentaire et anonyme de la vie humaine, et ne sont pas tentés de se croire d'une race supérieure. [...] Je ne partage pas l'optimisme romantique qui attribuait au peuple un jugement toujours juste et des instincts toujours droits ; je sais aussi qu'il

2. « L'école publique, du coup, sépare, écrit A. Touraine, ce qui relève de son enseignement de ce qui appartient au choix des familles et des individus » (op. cit., p. 21). Est-ce viable quand on sait la place de l'école ?

3. Christianisme et démocratie, DDB, 1989, p. 53-54.

lui faut être organisé pour pouvoir s'exprimer et agir. Mais je dis que le tragique sophisme des réactionnaires consiste à confondre le comportement d'un peuple libre, agissant dans le cadre de ses institutions légitimes, avec la violence sanglante des foules affolées par les passions collectives que la propagande totalitaire enflamme diaboliquement. Je dis que l'homme de l'humanité commune n'a pas le jugement moins sain et des instincts moins droits que les catégories sociales qui se croient supérieures, et qu'à tout prendre – non parce qu'il est plus intelligent mais parce qu'il est moins tenté –, il a chance d'errer un peu moins dans les grandes questions qui l'intéressent, lui, le peuple, que les soi-disant élites de gens informés et compétents et riches et bien-nés et hautement cultivés ou hautement madrés qui se sont retranchées du peuple[4].

4. *Ibid.*, p. 76-77.

Et c'est peut-être là le seul vrai argument pour recourir, comme nous le faisons couramment, à la démocratie comme nombre. Recourir au nombre pour le nombre est certes absurde ; mais recourir au grand nombre parce que significatif du peuple des hommes de l'humanité commune n'est nullement insensé.

A Rome, il est vrai, comme en Grèce, l'expérience avait conduit à redouter les *populares*, la masse (envieuse, jalouse, vindicative). Mais c'est la manipulation — des Gracques, de Marius, de Sylla... — que l'on craignait plus que le nombre même. Et la méfiance de Platon comme d'Aristote est à l'endroit de la masse soulevée, en colère. Cela ne détruit aucunement l'argument de Pie XII et de Maritain, qui est aussi généralement le nôtre.

Cette démocratie suffit-elle ?

Mais suffit-il de ce primat pratique de l'homme de l'humanité commune ? Il semble que cela suffise pour qu'il y ait démocratie au sens premier de garantie, de garde-fou[5]. Cette démocratie-là, toutefois, suffit-elle ? C'est la question que l'on ne peut éviter. Non pas pour suggérer qu'une monarchie, une aristocratie, serait meilleure, mais pour demander, d'abord, que le peuple qui se prononce observe certaines références majeures. Il n'est pas maître de tout. Il ne peut pas prendre n'importe quelle décision. C'est la question abordée par le pape Jean Paul II dans ses encycliques des années quatre-vingt-dix : *Centesimus annus* (1991), *Veritatis splendor* (1993), *Evangelium vitae* (1995). La démocratie authentique n'est pos-

5. Certains en demandent moins encore : notamment, il suffirait que les mandataires principaux soient élus (tous les cinq ans, par exemple). S'ils sont élus, on est en démocratie. On oublie, ce disant, que Hitler et Mussolini ont été élus, même s'ils ont quelque jour cessé de l'être.

sible, dit-il dans *Centesimus annus,* que dans le respect d'une « vérité dernière », guidant et orientant l'action politique, ou de « valeurs » sans lesquelles la démocratie même « se transforme facilement en un totalitarisme, déclaré ou sournois[6] ». Et Jean Paul II est revenu sur cette question dans *Veritatis splendor et Evangelium vitae,* pour contester, en particulier, qu'on puisse trancher une question comme celle de l'inviolabilité ou non de l'embryon par le vote majoritaire — le vote majoritaire de qui que ce soit : soit du peuple entier par référendum, soit de ses représentants élus dans une procédure parlementaire. Il y aurait, en somme, des questions qui échappent à la décision politique (ou démocratique) courante... Il conviendrait de définir ce dont on peut décider en politique : il est vrai que si c'est seulement une question, même grave, de tolérance pratique en vue de la « convivance » civique, elle échappe sans doute à ce contre quoi met ici en garde Jean Paul II.

6. *Centesimus annus,* n. 46.

Dans *Centesimus annus,* le Pape se reprenait, après son propos sur le respect de la « vérité dernière », pour dire que « l'Eglise, réaffirmant constamment la dignité transcendante de la personne, adopte comme règle d'action le respect de la liberté[7] ». « L'Eglise, disait-il encore dans le même document, apprécie le système démocratique comme système qui assure la participation des citoyens aux choix politiques et garantit aux gouvernés la possibilité de choisir et de contrôler leurs gouvernants, ou de les remplacer, de manière pacifique, lorsque cela s'avère opportun[8]. » Mais c'est de la démocratie modeste qu'il s'agit encore ainsi ; et de la démocratie modeste, même, on ne doit user qu'avec modération : il y a des valeurs, des vérités ou des normes supérieures à la démocratie entendue comme la décision du peuple, du grand nombre ; ces normes sont celles du respect d'autrui, de la reconnaissance mutuelle, à la base de toute communauté politique, avant même qu'il ne soit question de démocratie — étant entendu que la démocratie est une traduction de beaucoup de prix de cette reconnaissance et de ce respect. En s'engageant dans un tel raisonnement, on est conduit à émettre des réserves sur le recours au système majoritaire, sachant qu'en de nombreux cas, le respect d'autrui est le respect d'une minorité, de minorités, qui méritent vraiment considération... Cependant, si l'on fait une large confiance à l'homme ordinaire, à l'homme de la

7. *Ibid.*

8. *Ibid.*

commune humanité, au grand nombre en ce sens, c'est que l'on suppose qu'il y aura là, plus facilement qu'ailleurs, du respect pour tous et pour chacun. On peut sans doute se tromper sur ce point, et la confiance mise dans l'homme de la commune humanité peut éventuellement être trahie. Mais c'est qu'il n'y a aucun moyen absolu de garantir le bon gouvernement : il n'y a que des approximations. Tel est justement, tel doit être l'esprit de la démocratie modeste.

Un bien à créer, une tâche…

Mais, dans cette perspective de démocratie modeste, on est loin des ambitions démocratiques proprement dites, bien peu évoquées depuis que l'on redoute tant les déviations totalitaires, autoritaires. On ambitionnait, en effet, de se gouverner vraiment soi-même. On ambitionnait « le gouvernement du peuple par le peuple, pour le peuple » (Lincoln). On ambitionnait de n'obéir qu'à soi, tout en obéissant réellement ; de former une société d'hommes libres, au lieu de subir toutes sortes de dépendances. « L'homme est né libre », dit Rousseau. Or, partout, poursuit-il, « il est dans les fers ». Dans la société telle qu'elle est, il a perdu sa liberté. Est-il possible de (re)créer une société où il serait libre ?

Rousseau estime que c'est en effet possible. Il conduit, certes, sur une fausse piste quand il insiste outre mesure sur le « corps moral et collectif » né de l'abandon par chacun à tous de « tous ses droits » — tout ce qu'il est, en somme ; corps collectif auquel il faudra finalement se soumettre sans réserve. Rousseau va jusqu'à dire : on vous « forcera », si besoin est, « d'être libre ». Et l'on vous infligera même — pourquoi pas ? —, si besoin est, la peine capitale. Cependant, il y a chez Rousseau cette idée très juste qu'il n'y a de société de liberté, de démocratie, que par un réel abandon mutuel, ou par une reconnaissance mutuelle — reconnaissance *de l'autre* par moi, alors que j'en suis trop souvent à attendre que la démocratie, la liberté, me soit donnée comme mon dû… Elle est d'abord un dû à l'autre.

Comment cela est-il rappelé désormais ? On ne le rappelle pas avec le principe de « représentation » : là, tout le souci est le plus souvent que nous soyons entendus — par un intermédiaire, si ce n'est par nous-mêmes. Mais il n'est pas dit que nous devions écouter, entendre, respecter et reconnaître l'autre. Si je me réfère à la Constitution française présente, on explique bien ce que « la France », république « démocratique », doit, elle, respecter : les diverses origines, races, religions, « croyances ». C'est très indirectement que l'on suggère que les membres citoyens de cette république doivent, de leur côté, reconnaître et respecter tous les autres, d'origine, de race ou de religion diverses.

Il est rare qu'on énonce les exigences de la démocratie au sens fort. Très frappé par la déviation totalitaire du siècle précédent, A. Touraine a heureusement parlé, quant à lui, de « reconnaissance des autres comme sujets[9] ». Il précise : « reconnaissance de sujets personnels[10] » ; et il parle de la démocratie comme de « l'espace institutionnel libre où peut se déployer ce travail[11] ». Ce que j'accueille avec le plus de satisfaction dans cette présentation, ce sont les mots « reconnaissance » et « autre(s) », la « reconnaissance » étant, à mes yeux (voir mon livre *Politique, une introduction*[12]), l'essence même du politique. Et c'est pour cela que la démocratie-reconnaissance est elle-même « essentielle », nullement facultative ou optionnelle : elle n'est pas seulement un régime parmi les régimes. Quelles que soient, en effet, les institutions possibles dans un moment donné, tout doit tendre à l'effectuation la plus poussée possible de cette reconnaissance.

Voici donc la démocratie comme une tâche, à laquelle on ne s'attelle pas assez, dont on se détourne même parfois comme trop exigeante, impossible : la démocratie dont il y a pourtant des exemples, des commencements, dans la mesure où des hommes et des femmes savent qu'on ne surmonte qu'ainsi les violences, ouvertes ou latentes. On se rabat trop facilement sur les protections, non négligeables bien sûr, à l'encontre de l'arbitraire, à l'encontre de l'autorité excessive[13]. La démocratie comme tâche, la démocratie à faire, bien au delà de ces protections et garanties, est capitale pourtant, à un moment où est si nécessaire la reconnaissance entre identités plurielles[14], dans un monde de grande mobilité des populations[15]. *Démos* n'a jamais facilement existé, il existe moins que jamais *a priori* aujourd'hui, dans notre contexte de communautés et de cultures multiples, et d'intérêts si divergents. Il est à faire. « Démocratie » est peut-être même un mot dangereux, si l'on pense qu'il suffit de faire régner démos déjà existant, de

9. A. Touraine, *op. cit.*, p. 205.

10. *Ibid.*, p. 207.

11. *Ibid.*, p. 212.

12. Aubier-Flammarion, 1995.

13. Dans le moment présent, ne cherche-t-on pas à fournir à chacun toute espèce de sécurité, comme si un gouvernement pouvait la fournir ? Elle n'est, en vérité, que dans le respect effectif que s'assurent les uns et les autres, dans la reconnaissance citoyenne, qu'on ne remplacera en définitive par rien.

14. Cf. A. Touraine, *op. cit.*, p. 235.

15. « Le rêve de la république s'est évanoui, même s'il hante encore les discours de quelques hommes politiques et d'une poignée d'intellectuels », dit A. Touraine (*ibid.*, p. 211). « Depuis longtemps, dit-il aussi, l'Etat national n'est plus la figure de la raison, et il a été débordé à la fois par les empires et par l'internationalisation de l'économie » (*ibid.*). Au vrai, cet Etat national était-il démocratique ? Parlant de « république », d'autre part, on présuppose trop facilement qu'elle est démocratique (souvent, dans le passé, elle le fut bien peu).

le porter au pinacle, fût-on capable de l'identifier. Il faut lui donner au contraire la chance de naître, et c'est sur lui-même qu'il a d'abord à dominer (*kratein*) : chacun doit se maîtriser en reconnaissant l'autre pour son égal, pour une liberté de même rang.

Retrouver, réenseigner cette démocratie

Cette démocratie, qui est la démocratie proprement dite, progresse lentement. Et peut-être le recours si fréquent au vote majoritaire, qui nous met souvent, voire constamment, en situation de belligérance — de combat, fût-ce électoral —, est-il à cet égard un obstacle. Sans doute est-ce aussi le signe que la violence native est loin d'être surmontée [16]. Nous avons besoin de nous sentir bien davantage obligés les uns envers les autres. Le vrai processus politique, et démocratique, consiste en ces dépassements (successifs) de la violence, toujours plus poussés, toujours à reprendre et à recommencer. Et qui dit reconnaissance — et reconnaissance mutuelle — suppose qu'on ne laisse pas les choses en l'état. De la rencontre mutuelle des particularités résulte, au contraire, chaque fois, une nouvelle configuration : je reconnais l'autre, et en suis transformé ; lui, de même, est transformé par la rencontre. C'est en cela qu'on est au delà d'un libéralisme qui espérerait que tout puisse rester en l'état, les intérêts et les particularités des uns et des autres restant inchangés. L'esprit démocratique est très au delà de ce fixisme.

Il faut enseigner — ou réenseigner — cette démocratie si l'on veut tendre à une vie politique tout court. Autrement, la violence gagne, ou resurgit, inévitablement. Et l'on ne fait que limiter un peu les dégâts si l'on s'en tient aux protections tutélaires de la démocratie du premier degré. On n'est pleinement démocrate — on ne commence à l'être vraiment — qu'en allant au delà.

JEAN-YVES CALVEZ s.j.

16. Je ne propose pas un autre système *en place du* vote majoritaire, mais je propose qu'*en complément* on sache recourir souvent, surtout en des matières délicates, à la méthode du « consensus », souvent pratiquée heureusement dans les assemblées et commissions internationales. Là, le bon président est celui qui ne fait pratiquement jamais voter, mais fait se rapprocher progressivement la proposition des divers points de vue, demande à chaque fois s'il est encore quelqu'un qui ne peut absolument pas « vivre avec » la solution envisagée, recommence à nouveau s'il est encore une difficulté insurmontable, arrive enfin au moment où nulle main ne se lève plus et où il peut laisser tomber son marteau et déclarer : la proposition est acceptée.

AUX ABONNES ET AUX LECTEURS
D'ETVDES

*Nous avons besoin de vous pour augmenter notre audience.
C'est pourquoi, connaissant votre fidélité et votre soutien,
avec confiance nous nous adressons à vous.*

Il suffit que vous nous transmettiez les noms de cinq personnes que vous souhaiteriez voir s'abonner à **ETVDES**. Nous leur enverrons de votre part un dépliant et une offre d'abonnement à tarif réduit.

Nous vous demandons simplement de bien vouloir remplir le formulaire ci-dessous et de nous le renvoyer à :

ETVDES 14, rue d'Assas 75006 PARIS

Je, soussigné(e)

Nom .... Prénom ....

Adresse ....

....

Signature

*désire faire envoyer de ma part une offre d'abonnement
à la revue ETVDES aux personnes suivantes :*

Nom .... Prénom ....

Adresse ....

....

Nom .... Prénom ....

Adresse ....

....

Nom .... Prénom ....

Adresse ....

....

Nom .... Prénom ....

Adresse ....

....

Nom .... Prénom ....

Adresse ....

....

Prédication :
sortir de l'ennui !

TIMOTHY RADCLIFFE

*Lors de la « Rencontre internationale de jésuites sur la liturgie »,
organisée à Rome en juin 2002, Timothy Radcliffe, invité à intervenir sur la « sacramentalité de la Parole », avouait, avec l'humour qu'on lui connaît et qui ne se démentit pas au cours de son
intervention, « n'avoir aucune idée de ce que pouvait signifier cet
intitulé » : une bonne occasion d'apprendre... Il commençait en
évoquant un livre du jésuite Paul Janowiak. Nous reproduisons ici
de larges extraits de son intervention* [NDLR].

PAUL JANOWIAK, en s'appuyant sur les théologies de
Semmelroth, Rahner et Schillebeeckx, fait apparaître
le lien fondamental entre la proclamation de la Parole
de Dieu, la prédication de l'homélie et la consécration du pain
et du vin. Comme l'écrit Schillebeeckx, « la célébration entière
de l'Eucharistie est un service de la Parole, et l'Eucharistie tout
entière est un événement sacramentel ». La prédication n'est
pas seulement un enseignement relatif à l'Evangile : elle est
partie intégrante de l'événement. A partir de quelques obser-
vations personnelles, je souhaite proposer une approche complémentaire.

Il faut bien le reconnaître, la prédication n'a pas toujours l'effet escompté : il n'est pas rare qu'elle endorme le
peuple de Dieu, ou l'incite à prier pour que le prédicateur

Ancien Maître général des Dominicains.

s'arrête ! Comment pouvons-nous élaborer des théologies de la sacramentalité de la Parole, alors que bien des homélies sont aussi ennuyeuses ? Je ne parle pas seulement des homélies de dominicains ou même de jésuites. L'une des définitions du mot « prêcher », dans le dictionnaire Webster, est : « donner un conseil religieux ou moral, de manière fastidieuse ».

L'ennui lié à la prédication a été un défi pour le peuple de Dieu depuis le début. Saint Paul lui-même pouvait parler d'un ton si monotone qu'en l'écoutant Eutychès s'endormit et en mourut. Une consolation dans les moments de doute ! Césaire d'Arles prêchait rarement, mais quand c'était le cas, il fallait fermer les portes à clef afin d'empêcher les fidèles de se soustraire au supplice. J'ai demandé que l'on ferme également les portes de cette salle ce matin, mais les organisateurs ont refusé ! John Donne, le prédicateur et poète anglican, affirmait que si les Puritains prêchaient aussi longtemps, c'était parce qu'ils attendaient le réveil de l'assemblée. Toute l'histoire de l'Eglise est jalonnée de crises majeures relatives à la prédication. Les dominicains tout comme les jésuites ont été fondés pour répondre à de telles crises. Le XIIIe et le XVIe siècles ont été des temps de transformation sociale profonde qui ont vu émerger de nouvelles façons d'être, de nouvelles questions, de nouvelles aspirations : le prédicateur a dû s'adapter.

Nous sommes aujourd'hui face à une nouvelle crise. Semmelroth, Rahner et Schillebeeckx ont de très belles théologies de la sacramentalité de la Parole, mais nous devons reconnaître que nos mots ne touchent pas toujours les cœurs de ceux qui nous écoutent en ce début du XXIe siècle. Pourquoi cela, et que devons-nous faire ? Dominique et Ignace ont réagi en fondant de nouveaux ordres religieux. Rassurez-vous : je ne vais pas proposer d'en fonder un nouveau ! Je vais essayer de répondre à la question en considérant *la Cène*, le dernier repas du Christ. Quelle fut sa dynamique ? En quoi fut-il un événement transformateur ? Que veut-on dire en affirmant que la parole prêchée est porteuse de la même force et du même dynamisme ? Comment toucher nos contemporains ? Qu'est-ce qui, actuellement, peut faire obstacle à l'écoute de la Parole ?

Dans ce dernier repas du Christ, il y a trois moments dont on devrait retrouver l'écho dans la prédication de l'Eglise : 1) Jésus rejoint ses disciples dans leurs difficultés et désarrois personnels. – 2) Il les rassemble en une communauté. – 3) Il ouvre cette communauté à la plénitude du Royaume. Ces trois moments font de la Cène un événement transformateur, un « happening ». Cette dynamique doit se retrouver dans la prédication de l'Eglise si sa parole doit être sacramentelle. Sinon, nous aurons une très belle théologie de la prédication, mais une prédication morte.

Commencer par le silence

On peut feindre de croire que le peuple de Dieu rassemblé pour l'Eucharistie est une communauté chaleureuse, unie, désireuse d'entendre la prédication de l'Evangile. La réalité est tout autre. La culture occidentale est devenue extrêmement individualiste. Les paroisses ne recouvrent pas des communautés naturelles, surtout dans les grandes villes : ceux qui sont rassemblés pour l'Eucharistie ne se connaissent pas, et n'en éprouvent pas forcément le désir. Dans un monde de plus en plus sécularisé, les mots de l'Evangile et l'enseignement de l'Eglise sont souvent incompréhensibles. En tout cela, la paroisse actuelle ressemble à la communauté des disciples autour de Jésus, le soir de la Cène.

Les disciples sont troublés et interrogent Jésus : « Seigneur, pourquoi me laves-tu les pieds ? » « Seigneur, où vas-tu ? » « Montre-nous le Père et nous serons comblés. » Ils disent entre eux : « Nous ne savons pas ce qu'il veut dire » (*Jn* 16,18). De quoi parle-t-il ? De plus, les disciples sont profondément divisés ; leur communauté est sur le point de se défaire : Judas a déjà vendu Jésus ; Pierre va le renier dans quelques heures ; la plupart des autres vont fuir. Au milieu d'eux, Jésus affronte tout ce qui divise et détruit la communauté humaine : la peur, la convoitise, la haine, la souffrance et la mort. Ce n'est pas une communauté confortable !

« Karl Barth dit de l'énorme *Oui*, au cœur de la musique de Mozart, qu'il tire sa force de ce qu'il domine et contient un *Non*[1]. » On peut en dire autant du dernier Repas. La force de la nouvelle alliance que Jésus fait intervenir ce soir-là réside précisément en ce qu'elle embrasse tout ce qui la contredit, le grand *Non* de l'humanité à Dieu. Il y a là une histoire qui prend en compte tout notre trouble et nos incompréhensions face à Jésus, tout ce qui divise la communauté humaine, tout le péché et les échecs qui abîment nos vies ordi-

1. Seamus Heany, *The Redress of Poetry*, New York 1995, p. 169.

naires. A cet instant, le *Oui* de Dieu embrasse et reconnaît chaque *Non* possible.

Ainsi sommes-nous mis au défi de découvrir et d'affronter le *Non* de la société dans laquelle nous avons à parler. Pour les dominicains, dans la nouvelle société démocratique et urbaine du XIIIe siècle, la prédication devait sortir des monastères et des cathédrales. Il fallait porter la parole dans les universités et sur les marchés, quitter la protection du cloître et partager la vie des gens. Le Bienheureux Jordan de Rivalto, l'un des premiers dominicains, disait qu'il ne fallait pas trop se plaindre du comportement des jeunes Frères : « En étant dans monde, il leur est impossible de ne pas se salir un peu. Ils sont des hommes de chair et de sang, comme vous, et dans la fraîcheur de la jeunesse[2]. » Et, être un prêcheur suppose une certaine solidarité avec les pécheurs. Humbert de Romans, quant à lui, estimait que c'était là l'avantage de la vocation de prêcheur[3] !

Au XVIe siècle, la crise qui contribua à la fondation de la Compagnie de Jésus était due à la sclérose scolastique. Les *Constitutions* de la Compagnie ordonnent que la prédication se garde du style scolastique et ne soit ni « desséchée », ni « théorique[4] ». En d'autres termes : « Ne prêchez pas comme les dominicains ! » Il fallait une nouvelle forme de prédication, capable d'entraîner la conversion du cœur. Une nouvelle compréhension de notre relation à Jésus a pris corps dans le nom même de « Compagnie de Jésus ». La prédication s'adaptait à l'émergence de l'individu, dont un bel exemple sera ce produit de l'éducation jésuite que fut Descartes. Ignace, en effet, envoyait ses compagnons « à la rencontre de chaque individu particulier[5] », « entrant par leur porte afin d'en sortir par la nôtre ». Sortir, aller « à la pêche », parler avec les gens, répondre à leurs questions. A la suite de Dominique et d'Ignace, il faut commencer par ce qui sépare de l'Evangile. Démarrer en accueillant le *Non*, l'incompréhension, avant de prêcher le *Oui*.

Comment notre prédication peut-elle prendre en compte les doutes et les questions de notre génération tout en offrant une parole forte ? La culture mondiale de consommation, culture de marché, exerce une emprise bien plus radicale et universelle que tout ce que les fondateurs de nos Ordres ont eu à affronter. Le triomphe de cet ordre culturel et écono-

2. Simon Tugwell o.p., *The Way of the Preacher*, London, 1979, p. 50.

3. Simon Tugwell o.p., *Early Dominicans : Selected Writings*, p. 258.

4. John W. O'Malley s.j., *The First Jesuits*, Harvard University Press, 1993, p. 100.

5. *Op. cit.*, p. 111.

mique est tel que personne ou presque n'y échappe. Il a perverti presque toutes les cultures locales. Il touche les esprits et les cœurs de nos communautés chrétiennes. Il nous touche nous, prédicateurs, hommes et femmes de notre temps. Je ne dis pas que cela soit pire que ce qui a précédé. Je ne souhaite pas m'en prendre à la modernité. Mais l'effacement de la culture chrétienne oblige à investir radicalement les doutes, les interrogations et les échecs de nos contemporains. La tentation du prédicateur est de connaître les réponses dès le départ et de partager la richesse de son savoir et son expertise. Il faut résister à cela. Nous devons nous reconnaître comme les disciples autour de la table de la Cène, intrigués, confus et inquiets de ce qui est en train de se passer. Nous devons laisser l'Evangile nous réduire au silence, résistant à notre instinct de propriété. Nous devons mendier une illumination. Nous devons nous faire mendiants d'une parole. Notre prêche sera peut-être assez quelconque. La plupart d'entre nous possédons cinq ou six thèmes de sermon adaptables à presque n'importe quel texte d'Evangile. Mais ce même vieux sermon viendra comme un don, avec une touche de surprise et de fraîcheur.

6. Cf. Barbara Brown Taylor, *When God is Silent : The 1997 Lyman Beecher Lectures on Preaching*, Cowley, 1998.

Tous les évangiles commencent par le silence[6] : *Luc* par le silence étonné de Zacharie ; *Matthieu* par le silence interrogateur de Joseph ; *Marc* par le silence du désert, et *Jean* par ce silence originaire d'où naît la Parole. Nos annonces de la Bonne Nouvelle doivent, elles aussi, commencer par le silence.

Rassembler

Dans la dynamique de la Cène, le deuxième temps est le rassemblement des disciples en une communion. C'est très clair dans l'évangile de *Jean*. Jésus leur donne un nouveau commandement : ils doivent s'aimer les uns les autres ; il les appelle ses amis ; il leur promet qu'ils seront bientôt un, comme lui et son Père sont un. Ainsi nos paroles sont sacramentelles lorsqu'elles conduisent à une communion.

Un dominicain français, qui célébrait un enterrement après la seconde guerre mondiale, découvrit que tous les résistants étaient assis d'un côté de l'église et les collaborateurs de l'autre. Le cercueil était au milieu. Il refusa de célébrer l'Eucharistie avant que les uns et les autres ne soient passés de l'autre côté afin de s'embrasser. Dès les premiers temps de l'Ordre, la prédication a été associée à la réconciliation et à la paix. Les franciscains et les dominicains étaient des artisans de paix [7] qui prêchaient ce que l'on a appelé « la Grande Dévotion » en 1233. Souvent, le point culminant d'un sermon était le baiser de paix rituel entre ennemis. C'est précisément en tant que prêcheurs qu'ils ont ordonné la libération de prisonniers, la remise des dettes et la réconciliation des ennemis. La parole prêchée instaure une communion. C'est là sa force sacramentelle.

7. Augustine Thompson o.p., *Revival Preachers and Politics*, Oxford, 1992.

Mon expérience la plus intense à ce sujet eut lieu en Argentine. Je devais prêcher à la Famille dominicaine, sans m'être rendu compte qu'on était le Jour des Malouines, où l'Argentine tout entière fait serment de regagner ces îles perdues. Les rues étaient pleines de drapeaux argentins. Mais mes frères m'avaient apporté un petit drapeau britannique ! Par hasard, j'avais choisi de prêcher la non-violence. J'ai concélébré avec le Provincial d'Argentine et nous avons prié pour tous les morts. C'était un moment de grâce, de guérison profonde.

Comment notre prédication peut-elle réunir sous le signe de la communion ? D'abord, en disant la vérité. Au dernier repas, Jésus dit la vérité aux disciples. L'un d'entre eux va le trahir ; ils vont tous fuir et être dispersés ; il va souffrir et mourir ; il ressuscitera et l'Esprit Saint leur sera envoyé. « Parce que je vous ai dit cela, la tristesse remplit vos cœurs. Cependant, je vous dis la vérité » (*Jn* 16,6). « Sanctifie-les dans la vérité : Ta parole est vérité » (*Jn* 17,17). Il n'y a pas de communion sans vérité. C'est dans la vérité que nous nous rencontrons face à face.

Le prédicateur doit d'abord dire la vérité de l'expérience humaine, sa joie et sa peine. Cette expérience est symbolisée par le pain et le vin que nous portons à l'autel : « Pensez à la domination, à l'exploitation, à la pollution de l'homme et de la nature qui accompagnent le pain, à toute l'amertume de la concurrence et de la lutte des classes, à l'égoïsme tarifé, à l'aberration de la distribution mondiale, à l'abondance des uns et à la pauvreté des plus nombreux. Et le vin aussi, fruit de la vigne et du travail des hommes, le vin des vacances et des noces... Le vin, c'est aussi la bouteille, l'un des instruments les plus tragiques de dégradation humaine : ivresse, foyers brisés, débauche, dettes. Le Christ s'incarne dans ce pain et ce vin-là ; et il arrive à leur donner sens, à les humaniser. Rien d'humain ne lui est étranger. Si nous apportons du pain et du vin à la table du Seigneur, nous nous engageons nous-mêmes à porter à Dieu tout ce que le pain et le vin signifient, tout ce qui est cassé et sans amour. Nous nous impliquons nous-mêmes dans la peine et dans la joie du monde », comme le dit Geoffrey Preston o.p.[8].

8. Geoffrey Preston o.p., *God's Way to be Man,* London, 1978, p. 84.

Nous devons dire les choses telles qu'elles sont. Les gens retrouvent-ils ce qu'ils vivent dans nos paroles ? Nos assemblées sont composées de jeunes qui luttent avec leurs hormones et les enseignements de l'Eglise, de couples mariés en pleine crise, de divorcés, de personnes âgées qui doivent accepter leur retraite, d'homosexuels qui se sentent marginalisés par l'Eglise, de personnes malades ou mourantes. Leur souffrance et leur bonheur trouvent-ils place dans nos paroles ? Reconnaissent-ils leur expérience dans ce que nous disons ?

Je crois que la crise de la prédication aujourd'hui est une crise de la vérité. Nous craignons d'affronter la complexité de l'existence humaine. Nous craignons la confrontation de l'expérience avec l'Evangile ou l'enseignement de l'Eglise. Si nous faisons réellement place aux joies et aux peines des hommes, les paroles faciles tomberont d'elles-mêmes. Notre langage ecclésiastique nous semblera décalé. Bien sûr, nous risquons de nous trouver pris dans des débats difficiles, de nous retrouver mêlés à des controverses qui divisent la communauté. Nous risquons d'ouvrir des « boîtes de Pandore », d'être accusés de « secouer la barque » et, en conséquence, nous risquons d'éprouver la tentation de nous taire. Dans ce cas, nous perdrons du même coup la vérité courageuse des premières prédications, la *parrhesia* des disciples (*Actes* 4,29 ; 28,31). Il s'agit de la signification véritable de nos vies. Jésus dit aux disciples : « S'ils m'ont persécuté, vous aussi ils vous persécuteront ; s'ils ont gardé ma parole, la vôtre aussi ils la garderont. » Faire advenir à la parole les joies et les peines du peuple de Dieu revient à reconnaître le Christ qui vit et meurt en eux. Selon les paroles de Mary Catherine Hilkert o.p., nous devons nommer et la grâce et la dis-grâce à l'œuvre dans le monde[9].

9. Mary Catherine Hilkert o.p., *Naming Grace : Preaching and the Sacramental Imagination,* New York, 1997.

Si nous mesurons ce que nous disons à la réalité de ce que vivent les gens, nos homélies seront plus modestes. Elles risqueront moins de faire sourire intérieurement ceux qui nous écoutent. Je redoute ce type d'affirmation : « Les couples mariés, qui vivent une unité complète et un amour parfait, expriment l'amour du Christ. » Vraiment ? Posez la question ! Nos paroles seront d'autant plus fortes que nous dirons peu. Nous parlons trop parce que nous n'écoutons pas assez. Comme l'a écrit Barbara Brown Taylor : « Dans une époque de famine caractérisée par trop de paroles lourdes de trop de bruit, nous pourrions utiliser moins de paroles qui seraient chargées de plus de silence [10]. » C'est auprès des autres que nous devons trouver les mots de l'histoire. Notre prédication doit être le fruit de nos échanges. Ceux qui écoutent doivent reconnaître l'écho de leur propre voix.

10. *Waiting for God*, p. 113.

Wittgenstein a écrit qu'« imaginer une nouvelle langue signifie imaginer une nouvelle forme d'existence [11] ». Il n'y a de vie commune que là où il y a un langage commun. Lorsqu'un mari et sa femme vivent ensemble depuis de longues années, ils partagent un même vocabulaire, un trésor d'histoires et de souvenirs. Ils développent leur propre dialecte. Cette langue est le fruit de leur communion. Les dominicains et les jésuites font de même. De Tokyo à l'Amazonie, j'ai découvert une communion avec mes Frères à la façon dont nous parlions. Le prédicateur rassemble les gens en communion en tentant d'inventer avec eux un langage commun : un langage qui résonne de leurs mots, de leurs expériences et de leurs histoires.

11. *Philosophical Investigations*, Oxford, 1958, n° 19.

Dans les sermons de saint Augustin, nous voyons celui-ci aux prises avec l'assemblée des fidèles. Il les malmène, plaisante, les provoque ; ils applaudissent ou chahutent. Leurs encouragements le poussent. Parfois, au vu de leurs réactions, il boude et refuse de prêcher [12]. Entre eux, un langage commun commence à voir le jour. Ils sont comme mari et femme inventant leur langue commune. John Donne disait que « le véritable enseignement vient en faisant l'amour à l'Assemblée et à chaque âme qui en fait partie [13] ». Nos paroles ne seront sacramentelles que si elles naissent de ces échanges, d'un acte d'amour. Nous devons nous tourner particulièrement vers ceux qui ne sont pas entendus habituellement pour leur faire de la place. Qui sont les personnes silencieuses de nos assemblées ? Souvent il s'agit de femmes ou de personnes issues de minorités ethniques. Parlons-nous d'elles ? Leur parlons-nous ?

12. Peter Brown, *Augustine of Hippone*, Princeton, 1999, p. 446.

13. Ed. George Potter and Evelyne Simpson, *The Sermons of John Donne*, University of California Press, Vol. 9, p. 350.

Se tourner vers le Royaume

Venons-en maintenant au dernier acte de la Cène. Jésus se tourne vers l'avenir et vers le Royaume. La version de la Cène que nous donne Jean est paradoxale. D'un côté, elle est le fruit de l'expérience que vit le Christ avec les disciples, le moment de l'intimité partagée. Mais c'est en même temps la fin de leur vie commune. Ses amis sont sur le point de Le perdre : plus jamais ils ne pourront s'asseoir à la même table, boire et manger avec Lui et, lorsqu'ils rencontreront le Christ Ressuscité, il les enverra de par le monde. Rassemblement et dispersion. Ainsi, dans la dynamique de la nouvelle alliance, ce repas est-il un commencement et une fin.

Ce paradoxe marque chaque Eucharistie. Rassemblée autour de l'autel, la communauté est un signe du Royaume. Nous sommes des amis de Dieu, inscrits en Lui. Mais cette même Eucharistie met au défi de faire tomber les murs qui entourent cette petite communauté qui est nôtre, pour accueillir ceux qui en sont exclus. Il s'agit là d'une tension qui marquera chacune de nos Eucharisties jusqu'à l'avènement du Royaume, lorsque les sacrements auront cessé d'exister et que l'Eglise ne sera plus.

Notre prédication sera puissante, sacramentelle, si elle est marquée de cette même tension. Nous avons dit que le prédicateur construit la communauté, rassemble les égarés et ceux qui sont perdus. D'autre part, il la provoque en la renvoyant à son pouvoir d'exclusion. Elle est un sacrement du Royaume, mais c'est justement comme telle, compte tenu du caractère universel du Royaume, qu'elle ne cesse d'être remise en cause. Le prédicateur invite à trouver une identité au sein de l'Eglise, puis il subvertit chacune des identités : ce fut le drame de l'Eglise juive dans ses premières années. Elle venait à peine de naître qu'il lui fallait perdre son identité en accueillant des non-Juifs. Trois cents ans plus tard, l'Eglise était enfin acceptée comme romaine, et il lui fallut perdre cette identité et accueillir les barbares. Ce drame se répète tout au long de l'histoire de l'Eglise. Au moment même où nous faisons de l'Eglise un foyer chaleureux, il nous faut ouvrir ses portes à des étrangers.

C'est le drame toujours recommencé de la prédication. Qu'on se réfère à l'histoire des premiers conquistadors espagnols aux Amériques : pour eux, chrétiens loin de leur terre d'origine, l'Eucharistie était la plus profonde expression de leur identité. Mais le premier dimanche de l'Avent, en 1511, le dominicain Antonio de Montesinos mit en cause cette identité : ne comprenez-vous pas que les indigènes que vous réduisez en esclavage sont vos frères et sœurs en Christ ? Ne sont-ils pas humains comme vous ? N'ont-ils pas des âmes raisonnables ? De quel droit leur faites-vous la guerre ? Ne devez-vous pas les aimer comme vous-mêmes ?... Ses compatriotes trouvèrent sa prédication subversive et, pour eux, destructrice. C'est ainsi : jusqu'à l'avènement du Royaume, toute identité est provisoire.

Mais ce n'est pas tout. Le prédicateur se tourne vers le Royaume, vers « ce que l'œil n'a pas vu, ce que l'oreille n'a pas entendu, ce qui n'est pas monté au cœur de l'homme, tout ce que Dieu a préparé pour ceux qui l'aiment. » (*I Cor.* 2,9). Ici, nulle clarté n'est possible. Il prêche un au-delà de nos paroles. Il se tient aux frontières du langage, il aborde au lieu où le langage ne suffit plus. Ce que la vérité exige alors, ce n'est pas du courage, mais de l'humilité. Le mystère excède nos paroles, comme le dit Herbert McCabe o.p. : « Notre langage ne peut pas dire, mais seulement tendre vers le mystère de notre rencontre avec le Christ... Les théologiens se servent d'une parole en l'amenant jusqu'à son point de rupture, et c'est justement là qu'une communication peut éventuellement se faire [14]. » C'est là une tâche poétique, ce qui explique que les plus grands prédicateurs ont toujours été des poètes. Les poètes vivent aux limites de ce qui peut se dire, aux frontières du langage.

C'est sans doute une nouvelle raison à la crise actuelle de la prédication. L'imagination poétique est marginalisée dans notre culture à dominante scientifique. Dans la majorité des sociétés traditionnelles, la poésie, les mythes, la chanson et la musique étaient au cœur de la culture. Dans notre société, ils sont réduits au rang de divertissements. La faim de la transcendance habite toujours le cœur humain. Comme le disait saint Augustin, il ne trouve pas de repos s'il ne demeure en Dieu. Mais il est plus difficile aujourd'hui, pour le prédicateur, d'évoquer cet horizon qui transcende nos paroles. Peu de prédicateurs sont poètes. Je ne le suis pas. Mais si nous souhaitons voir prospérer la prédication de la Parole, nous avons besoin de poètes et d'artistes, de chanteurs et de musiciens qui maintiennent en vie cette intuition de ce à quoi nous sommes destinés.

14. *God Matters*, London, 1987, p. 177.

J'ai demandé à beaucoup de gens quel était le sermon le plus fort de tout le XXe siècle, et un nombre considérable de personnes ont immédiatement répondu que ce devait être le discours bien connu de Martin Luther King : « J'ai fait un rêve. » C'était bien plus qu'un manifeste politique ; il renvoyait à une vision eschatologique de la paix universelle, de « ce jour où tous les enfants de Dieu, les hommes noirs et les hommes blancs, les Juifs et les Gentils, les protestants et les catholiques, seraient à même de se donner la main et de chanter les paroles du vieux chant *negro spiritual* : "Libre enfin ! Libre enfin ! Remercions Dieu, le Très Haut, nous sommes libres enfin !" ». Ce n'était pas un sermon, mais il a insufflé de la force a des milliers de sermons. Qui a les mots qui nous ouvrent au transcendant ? Surtout après le 11 Septembre, dans un monde en danger d'éclatement, nous avons besoin de poètes, de chanteurs du transcendant. Nous avons besoin d'artistes qui puissent nous conduire aux limites de ce qui peut s'exprimer.

Ces trois temps du drame de la Cène, qui sont à méditer pour la prédication, sont des temps de respiration. Nous nous tournons vers des gens, nous les rassemblons, et ensuite nous ouvrons au Royaume, comme des poumons qui se remplissent et se vident et se remplissent encore. L'histoire de l'humanité est celle de la respiration, du don du souffle fait à Adam au dernier souffle du Christ sur la croix, et jusqu'à la respiration en nous de l'Esprit Saint. Notre prédication sera sacramentelle, efficace, si elle respire au rythme de l'humanité, rassemblant et renvoyant, nous donnant la vie et l'oxygène dont notre sang a besoin.

Remarquons, enfin, que l'événement dramatique qu'est la Cène conduit du silence de l'incompréhension au silence du mystère, d'un silence vide à un silence plein. Nous partons du silence des disciples qui ne comprennent rien, au silence de ceux qui ne trouvent pas de paroles pour dire ce qu'ils ont entr'aperçu. Le prédicateur habite cet espace en mendiant de parole. C'est le don de la grâce de Dieu, ce que les premiers dominicains appelaient la *gratia praedicationis*, qui nous meut du silence de la pauvreté à ce *pleroma*.

TIMOTHY RADCLIFFE o.p.
article traduit de l'anglais

Christus

N° 197

janvier 2003

Psychologie et vie spirituelle
Distinguer pour unir

> Autrefois on séparait ces deux dimensions, aujourd'hui on tend à les confondre. Mais on ne peut ni réduire la spiritualité au psychologique pour en faire l'instrument du développement personnel, ni tout ramener au seul spirituel. Le temps est venu d'entrer dans une perspective qui allie distinction des approches et apports réciproques.

Tony Anatrella, Violaine Aufauvre, Jean-François Catalan
Placide Deseille, Claude Flipo, Nicole Jeammet
Jean-Baptiste Lecuit, Odilon de Varine, Denis Vasse

Trois chanteurs
dans la fournaise

▌ Philippe Charru

« A LORS tous trois, d'une seule voix, se mirent à chanter, glo-
rifiant et bénissant Dieu dans la fournaise... Le roi
Nabuchodonosor les entendit chanter ; il fut stupéfait ! »
Nous le sommes, nous aussi, lorsque nous lisons ce récit biblique au chapitre 3 du *Livre de Daniel*. Pour avoir désobéi à l'ordre du roi prescrivant
de se prosterner et d'adorer une immense statue d'or, trois hommes sont
jetés pieds et mains liés dans une fournaise ardente. Mais les voici qui
marchent en chantant la louange de leur Dieu, car son ange est là qui
souffle dans la violence des flammes comme une fraîcheur de brise et de
rosée. Ainsi, dans cette fournaise, peut s'entendre autre chose que la violence des flammes : la joie du salut surprise en une fragile mélodie.

Ce récit n'est pas d'un autre âge. Je tiens de témoins authentiques
que, à Auschwitz, un homme demanda à un S.S. accompagnant un
groupe de prisonniers à la mort l'autorisation de chanter. Il accepta.
L'homme chanta alors la prière des morts. Bouleversé, le S.S. l'aida à fuir.
C'est ainsi que les portes d'une impossible liberté, au chant de cet
homme, s'ouvraient.

Faut-il aller jusqu'en ces lieux extrêmes, où la musique côtoie la
mort, pour recueillir dans l'imprévisible jaillissement de son chant le
mystère de sa joie ? Certaines œuvres emblématiques nous y encouragent,
qui vont nourrir et ponctuer notre propos. Nous les emprunterons
d'abord au répertoire baroque et classique, avant de nous interroger sur
des œuvres du XXᵉ siècle typiques de la modernité.

▌ Centre Sèvres, Paris.

Aux cours d'eau de Babylone, choral pour orgue célèbre du recueil de Leipzig de Jean-Sébastien Bach, nous tourne vers ces rives désolées, où le peuple en son lointain exil refusait de chanter les chants de Sion pour ses bourreaux qui les lui demandaient. Cependant, au milieu du choral, alors que le dépouillement de l'ornementation et la raréfaction du contrepoint « suspendent » le chant, comme sont devenus muets les instruments de musique suspendus aux arbres, une ouverture paradoxale se fait jour : si le peuple ne peut chanter en terre d'exil, du moins peut-il laisser s'exprimer son cœur qui pleure et refuse de chanter les chants de Sion à ses bourreaux. Mais ces pleurs sont déjà le signe d'une conversion : refuser de chanter au temps de l'exil, n'est-ce pas reconnaître et manifester qu'on est « d'ailleurs » ? C'est pourquoi l'espace clos de ce choral et sa circularité quasi obsessionnelle sont traversés par une transformation remarquable que la coda développe. Dans ces dernières mesures, la mélodie du choral s'enfonce au plus grave, tandis que le motif de la douleur et des pleurs esquisse un mouvement ascendant. Avec ce mouvement contraire qui maintient la tension entre « l'en haut » et « l'en bas », Bach ouvre à la béatitude paradoxale que Luther, dans son commentaire du *Psaume* 137, rappelle : « Bienheureux ceux qui pleurent. » Celui qui a traversé jusqu'au bout sa situation d'exil découvre, au terme du choral, que le chant de plainte qu'il avait entonné dès le début n'était autre que le chant de la croix, le « cantique nouveau ». Dès lors, la question de chanter ou de ne pas chanter se trouve dépassée, s'il est vrai qu'au temps de l'exil on réapprend à chanter.

Sans doute estimera-t-on que la fournaise, la prison et l'exil sont des lieux exceptionnels où surviennent des combats hors du commun ; mais il est aussi des lieux intérieurs où chacun, à son heure, s'affronte à des forces redoutables : fournaise des passions, enfermements et exils intérieurs, autant de lieux que visite le Cantor de Leipzig dans son admirable motet *Jesu meine Freude* — « Jésus ma joie ». Comment le musicien célèbre-t-il la joie, dans cette pièce composée pour un service religieux célébré à la mémoire de Johanna Maria Rappold ? Selon son habitude, Bach combine la clarté de la Parole de l'Écriture et l'itinéraire spirituel et mystique du fidèle, en alternant les strophes du cantique *Jesu meine Freude* de Johann Franck et quelques versets du chapitre 8 de l'*Épître aux Romains* prévus par la liturgie de l'office des défunts. Ainsi, pour une communauté en deuil, l'ensemble du texte du motet ouvre à l'espérance que peut donner la contemplation de celui qui est ici nommé « Agneau de Dieu, mon fiancé », expression remarquable articulant le *Cantique des*

76

cantiques et le récit de la Passion dans la pure tradition de « l'orthodoxie luthérienne ». La joie qui rayonne de cette figure est marquée *en même temps* par la présence et par l'absence du bien-aimé, présence et absence où se constitue le désir, tandis que le cœur s'angoisse et soupire. Ainsi ce jeu de présence et d'absence introduit-il dans le temps du combat spirituel, combat entre « le désir de la chair » et « le désir de l'Esprit », où se profile le dragon de *L'Apocalypse*.

Or, au cœur de ce combat nocturne intervient une décision : « *Ich stehe hier und singe in gar siechrer Ruh* » — « Ici je me tiens debout et je chante dans le repos le plus assuré » ! Décision qui prendra, au terme, l'allure d'un discernement : « Ecartez-vous, esprits d'affliction, car voici que le maître de la joie, Jésus, entre. » Cette décision trouve sa parfaite expression musicale dans la sixième pièce, où l'écriture fuguée, symbolisant la relation du Christ au croyant, est subitement interrompue par une page à l'écriture verticale et homosyllabique dans un tempo *Adagio* : alors l'espace s'ouvre, s'élargit et reste suspendu à cet *ailleurs invisible* qui représente l'appartenance au Christ, Agneau et fiancé. Bach a fait de cette sixième pièce le centre d'une magistrale architecture en forme de chiasme, obtenue par la superposition très savante de deux structures concentriques. Cette construction n'est pas l'illustration ou le commentaire musical du thème de la joie ; elle dessine plutôt un itinéraire intérieur au centre duquel la décision de se tenir debout et de chanter triomphe d'un combat spirituel dont l'enjeu est le choix d'appartenir au Christ et de lui ouvrir la porte lorsque lui, « le maître de la joie », viendra frapper. Cet événement, la musique ne peut certes pas le produire. Mais la décision de chanter, qui est sortie de soi dans l'attente assurée du passage du « maître de la joie », conduit à faire siennes ces dernières paroles du motet : « Au sein de la souffrance, tu n'en demeures pas moins, Jésus ma joie. »

Dans un tout autre univers stylistique, la musique de Mozart trace, elle aussi, le chemin de la joie à travers les puissances des ténèbres. Au milieu des flammes, Tamino et Pamina marchent au son de la flûte enchantée et chantent ces paroles décisives : « Nous marchons par la puissance de la musique, joyeux à travers les ténèbres et la mort. » Mais qui ne voit le paradoxe ! La puissance de la musique se donne tout entière dans un dessin mélodique des plus innocent joué à la flûte, ponctué par un rythme extrêmement léger à la timbale, à peine coloré au souffle des instruments à vent par les accords les plus simples de tonique et dominante. Rien de laborieux ni de boursouflé, aucune violence — ni dans la mise en scène, ni dans la musique. Aussi bien n'y a-t-il pas ici confrontation entre des forces opposées, celles de la nuit et du jour ou celles de la mort et de la vie, pas davantage de recherche d'équilibre entre ces forces. Il y a *passage* au milieu des flammes qui pourraient dévorer, puis de l'eau qui pourrait engloutir. La musique ouvre le *passage* ; mieux, *elle est ce passage, et ce passage est joie.*

Quelle que soit la violence extrême des situations ou la douleur intense des sentiments, la musique de Mozart garde toujours sa simplicité, son évidente clarté, sa transparence. Qu'on écoute, au second acte, le chant de Pamina désespérée de retrouver un jour son bien-aimé : il atteint la dimension universelle de la plainte douloureuse d'un amour souffrant. Mais rien n'altère la beauté du trait mélodique, rien n'émousse la sensibilité aux couleurs instrumentales et harmoniques les plus nuancées, rien ne trouble la liberté du chant. Telle est bien la volonté du compositeur qui écrivait à son père : « ... la musique, même dans les situations terribles, ne doit jamais offenser l'oreille, mais plaire à l'auditeur ; en d'autres termes, ne doit jamais cesser d'être musique... » C'est dire que rien ne pourra jamais arrêter la musique d'exister comme musique sur le chemin qui donne accès, « à travers les ténèbres et la mort », à la lumière de la connaissance et à l'amour partagé entre l'homme et la femme.

La musique ici ne discourt pas ; elle ne se soucie ni de message, ni de psychologie, ni de métaphysique. En revanche, la volonté de forme, typique de son siècle, est à son zénith. La musique de Mozart s'affirme dans l'autonomie de sa forme, elle ignore le doute, elle *est*. Mais sa puissance d'affirmation est sans « effet de puissance », car sa puissance est douceur. C'est pourquoi elle apprivoise les animaux féroces au son de la flûte de Tamino ou du carillon de Papageno ; mieux encore, sa douceur a raison de l'animalité en l'homme, comme chez Monostatos et ses esclaves.

Si le passage à travers le feu et l'eau est vécu dans l'innocence de l'enfant, la puissance de la musique s'y affirme comme celle de l'enfant sur la création ; l'enfant qui, selon le mot de Karl Barth, « joue un jeu déjà gagné dans quelque mystérieuse hauteur ou profondeur » ; l'enfant que Mozart est devenu pour ne lui avoir jamais manqué.

On pourra s'étonner du choix de la musique de Béla Bartók pour poursuivre notre réflexion, car sa musique est parfois ressentie comme l'empire de dissonances rugueuses et de rythmes heurtés. Pourtant, malgré la maladie, les drames de la guerre et de l'exil, malgré l'accueil réservé des milieux musicaux et les succès éphémères, n'a-t-il pas gardé intacte en lui, jusque dans l'abandon et le dénuement de ses derniers jours, la source secrète où sourd, intarissable, la joie de la musique ? Non pas le « thème » de la joie, car la joie, qui vient d'ailleurs et conduit on ne sait où, ne se laisse pas saisir dans un thème ou dans un mot ; peut-être même s'envolera-t-elle à un simple regard. Mais la musique, qui ne sait pas nommer, parvient à s'accorder à elle dans sa respiration même et à la manifester dans la genèse de ses formes. C'est à ce niveau élémentaire de la genèse des formes musicales et du langage que la musique de Béla Bartók communique l'élan pur d'une joie qui monte des profondeurs ancestrales de la musique populaire, comme une sagesse et une vie sans cesse reconquises sur les forces de division et d'éclatement. Il n'eut de cesse de creuser et d'étendre les racines de son art dans cet humus, tout en se nourrissant aux musiques savantes de son époque. Sa musique, venue du fond des âges, enracinée dans une tradition singulière, parvient jusqu'à nous avec la saveur et la joie communicative de son universalité.

L'auditeur attentif et sensible de la musique de Béla Bartók reconnaîtra sans peine deux aspects de son écriture. Tantôt prolifèrent de petits intervalles qui tournent sur eux-mêmes, se croisent, se chevauchent, se resserrent ou, au contraire, s'élargissent telle une spirale ; ici les harmonies sont inquiètes, instables et sombres. Tantôt les motifs se présentent sous forme de gammes qui fusent en tout sens ; ici, au contraire, les harmonies rayonnent de lumière et de stabilité. Ces deux aspects, chromatique et diatonique, de l'écriture bartókienne s'unissent sous sa plume en une heureuse alliance. C'est là l'un des traits stylistiques les plus caractéristiques de sa musique et l'un des points les plus fondamentaux de sa syntaxe.

On peut considérer la figure de la spirale ou du cercle qu'évoque le chromatisme de Bartók, et la figure de la ligne ou de la flèche qu'évoque son diatonisme comme une véritable symbolique musicale. Espaces sombres et angoissés, dominés par des forces irrationnelles d'un côté ; clarté, énergie et liberté du chant et de la danse de l'autre. Dans ce jeu de forces opposées, dans ce combat pour que la lumière l'emporte sur les ténèbres, la respiration sur l'étouffement, la vie sur la mort, nous sommes au cœur de l'univers bartókien. Certains ont voulu voir des traits dantesques dans cet univers. Dante, en effet, considérait le cercle, l'anneau et la roue comme symboles de l'Enfer, alors qu'il voyait dans la flèche et le rayon les symboles du Paradis, les cercles de l'Enfer se refermant concentriquement jusqu'au Cocyte, ceux du Paradis s'ouvrant sur l'Empyrée. Telle est la respiration du style bartókien. On en trouvera une magistrale réalisation dans la célèbre *Sonate pour deux pianos et percussion* : l'œuvre entière, placée sous le signe de la variation, se renouvelle sans cesse grâce à ses thèmes en expansion, chers à Bartók, et à la lente évolution, vers le lumineux diatonisme du dernier mouvement, du chromatisme sombre du premier. On entend cette même progression dans les deux mouvements de la *Deuxième Sonate pour violon et piano* et surtout dans *Musique pour instruments à cordes, percussion et célesta*.

Au temps de l'épreuve, la musique parvient ainsi à ouvrir un chemin inattendu, où s'entend le son d'une joie que modulent les styles. Mais il est une mise à l'épreuve d'un autre ordre, sur lequel on ne peut éviter de s'interroger : la mise à l'épreuve de la musique par la modernité. On a coutume de dire que Debussy a insufflé la modernité musicale dans le solo de flûte qui ouvre le *Prélude à l'après-midi d'un faune*. Ce chef-d'œuvre, créé le 22 décembre 1894, instaure une respiration nouvelle de l'art musical. Sur des points essentiels, tels que la conception du langage et du matériau, la forme et le rythme ou le traitement instrumental, il marque l'avènement décisif d'une musique qui avait été seulement pressentie par Moussorgsky. Elle témoigne chez le jeune compositeur d'une conscience musicale où mûrissait un nouvel art d'entendre et de penser la musique. C'étaient là les premiers symptômes d'une révolution artistique qui a traversé le XXe siècle, non sans provoquer un grand trouble chez les musiciens, mais aussi parmi les amateurs de musique, et suscité une forte réflexion chez ceux qui s'adonnent à un travail de pensée. Les œuvres sont là, cependant, qui font de ce siècle l'un des plus grands de la musique. Mais, dans cette fournaise de la modernité, qu'est devenue la joie de la musique ?

On aura sans doute du mal à l'entendre dans des œuvres de Arnold Schönberg, aussi emblématiques de la modernité musicale que *Moïse et Aaron* et *Un survivant de Varsovie*. *Moïse et Aaron* fait entendre la bouleversante expression d'une conscience religieuse torturée par l'échec de la parole et de la musique à dire le Nom de Dieu sans le trahir, tandis que *Un survivant de Varsovie* lance le cri du témoin qui se dresse face à la barbarie et veut sauver de l'oubli, pour leur rendre justice, ceux que l'Histoire a opprimés et écrasés, avant d'unir sa voix à celles du chœur pour la prière du *Shema Israël*. Un esprit semblable inspirera plus tard la plume de Krzysztof Penderecki dans *Thrène à la mémoire des victimes de Hiroshima* et celle de Iannis Xenakis dans *Nuits*.

La joie semble bien loin encore du monde de *Pelléas et Mélisande* de Debussy, autre miroir privilégié où peuvent se déchiffrer les traits de la modernité. L'œuvre s'ouvre sur une forêt qui n'a plus rien de romantique — celle des profondeurs mystérieuses d'où ne montent que de « confuses paroles » mêlées au son triste du cor tel qu'un Weber l'a fait entendre —, mais une forêt où on se découvre *perdu*, où la mémoire même de son origine se perd elle aussi dans un *lointain* sans nom. A la question de Golaud : « D'où êtes-vous, où êtes-vous née ? », Mélisande répond comme en rêve : « Oh ! oh ! loin d'ici... loin... loin » ; et à la question de Mélisande : « Où allez-vous ? », Golaud, l'homme fort et assuré, se surprend à murmurer entre deux silences de l'orchestre : « Je ne sais pas. Je suis perdu aussi. » L'être-perdu, jeté dans un espace sans horizon, voilà le premier moment, voilà la « composition de lieu » de l'homme moderne.

Cependant, l'engagement de ces œuvres est tel qu'on s'étonne des critiques qui s'obstinent à ne voir dans les musiques de notre modernité qu'un art en mal de sens s'épuisant dans le formalisme désabusé d'un jeu de langage, ou qui se plaisent à dénoncer une complaisance morbide avec ce qu'il y aurait de plus noir dans notre monde. Car la force et la grandeur de ces œuvres musicales est d'assumer pleinement une situation historique, à la fois par leur contenu et par leur langage totalement moderne. Leur forme se veut en prise sur la chair vive du présent. Sans doute les tensions qui les travaillent, leur langage déroutant, leurs formes ouvertes inaugurant un nouveau rapport au temps semblent-ils faire échec à la quête de plénitude et de joie que l'on attend de la musique. Pour le moins répondent-ils à la célèbre définition que donnait Baudelaire de la modernité : « C'est le transitoire, le fugitif, le contingent, la moitié de l'art, dont l'autre moitié est l'éternel et l'immuable. » Mais cette « autre moitié » restera-t-elle à jamais hors de portée dans un *lointain* inaccessible ? Elle le restera, à moins que ne change notre écoute. Car il y a à entendre dans le présent de notre monde le plus singulier et le plus historiquement incarné — et non pas dans les mondes imaginaires sans loi et sans limite prometteurs d'une illusoire liberté, ni dans les joies frelatées que prodigue l'industrie du divertissement — une ouverture où, par la grâce de l'art, ce *lointain* se fait proche. Faire entendre n'est certes pas au pouvoir des mots, car seule la musique ouvre l'oreille et introduit à son propre monde. Mais, du moins peut-on dessiner l'itinéraire qui s'offre à nous dans la musique vivante de notre temps, d'où monte, pour reprendre le mot de Philippe Jaccottet, « une sourde jubilation ».

Des pionniers de la musique du XXᵉ siècle tels Debussy, Stravinsky, Bartók, Varèse ou Webern, par leurs œuvres et leurs écrits, ont voulu rompre avec une conception de la musique héritée du XIXᵉ siècle. C'est tout un système musical qui bascula, mais c'est aussi tout « l'extra-musical » qui fut mis à la question, accusé d'alourdir et d'étouffer la musique sous les oripeaux de discours ou de messages à teneur littéraire, philosophique ou religieuse. Cette mise à la question eut pour conséquence le retour à l'élémentaire, c'est-à-dire au « son ». « Rares sont ceux à qui suffit la beauté du son », écrivait déjà Debussy ; après lui, Varèse professait que « le matériau brut de la musique est le son », tandis que John Cage, avec son sens unique des formules provocantes de sage en habit de fou, n'hésitait pas à écrire : « Un son est un son ; pour le comprendre il faut mettre fin à l'étude de la musique. »

Ce retour à l'élémentaire appelle une attitude nouvelle vis-à-vis de la musique que Varèse souhaitait ardemment : « Ne reliez ma musique avec rien d'extérieur ou d'objectif. Ne cherchez pas à y découvrir un programme descriptif. Regardez-la, s'il vous plaît, dans l'abstraction. Pensez à cette œuvre ayant une vie propre, indépendante d'associations littéraires ou picturales. » Le traditionnel souci d'expression et de représentation est ainsi radicalement mis à la question. Webern a poussé les conséquences extrêmes de cette remise en question dans le style le plus concis et concentré qui soit, où pourtant souffle, libre, l'air pur des hauts pâturages. Ses *Bagatelles pour quatuor à cordes* faisaient écrire à Schönberg : « ... Avoir su enfermer tout un roman dans un simple geste, exprimer tout son bonheur dans une seule exhalaison de souffle, voilà qui implique une concentration d'esprit ignorée de ceux qui se complaisent à épancher leur émotion. Seul pourra comprendre ces pièces le croyant pour qui la musique est le moyen d'exprimer ce qui n'est exprimable qu'en musique. » Cette exigence d'attention à la seule musique se trouvait déjà exprimée dans ces mots décisifs de Debussy : « La musique, c'est du rêve qui a levé ses voiles ; ce n'est pas l'expression des sentiments, c'est le sentiment lui-même. » Non pas sentiment qu'elle évoquerait de l'extérieur et par association, mais sa manifestation même. Aucune distance n'est posée entre *ce qui* est manifesté et le *comment* de sa manifestation. La musique *se* signifie. N'y a-t-il pas là la reconnaissance qu'elle est de part en part sentiment, c'est-à-dire l'expression même en acte ? C'est pourquoi il faut dire que, si la musique ne représente rien, elle rend présent. Son écoute est toujours contemporaine de l'instant musical en son imprévisible jaillissement, ici et maintenant. Sa présence appelle notre présence. Or cette expérience, qui ne doit rien au concept, doit tout au rythme. Et avec le rythme nous touchons au fondement de l'expérience musicale.

Le rythme, tel que nous le comprenons ici, n'a rien à voir avec la cadence avec laquelle on le confond si souvent. Il n'est pas de « l'ordre des temps », selon une définition devenue, hélas, classique. Le rythme n'est en aucun cas un phénomène d'ordre quantitatif, ni un phénomène d'accentuation, ni l'ordonnance d'un déroulement linéaire des sons. Il ne se laisse pas mesurer par le nombre. Il faut le comprendre comme une expérience de communication avec le monde. Et cette communication se fait sous le mode du « sentir ». Rilke la comprenait comme une « respiration » : « Respirer, invisible poème... pur échange perpétuel de l'être qui m'est propre contre l'espace du monde dans lequel moi-même rythmiquement j'adviens... vague unique dont je suis la mer successive... » Debussy la comprenait comme « correspondances mystérieuses entre la nature et l'imagination ». Mais, d'un côté comme de l'autre, c'est à même la sensation qu'ont lieu ce « pur échange » et ces « correspondances mystérieuses » où se révèlent la profondeur des choses et celle de notre intériorité dans un unique geste rythmique.

Ce geste rythmique tient de l'*ictus,* c'est-à-dire le coup frappé à la percussion ou marqué par le pied et qui donne l'impulsion rythmique. Le geste rythmique développe donc un mouvement d'*émergence* qui répond à un mouvement d'*engloutissement*. Il manifeste en cela le refus de s'abandonner à l'errance dans un espace vide, sans horizon et privé d'orient, ou celui de céder au vertige devant l'abîme qui se creuse sous les pas. Le geste rythmique instaure plutôt une origine où s'opère, dans l'instant pulsatile, le passage du chaos à l'ordre. Alors le monde cesse d'être le *nulle-part* où je suis perdu, ou encore l'*en-face* tenu à distance et mis en perspective dans des configurations objectives, représentées ou thématisées. Il devient la *demeure* où je peux habiter : un espace où je me tiens, un temps où je suis présent, un jeu de relations diversifiées où toutes choses conspirent. L'artiste est celui qui fait venir ce geste rythmique primordial au jour de la forme. Son œuvre est la trace de l'émergence du monde dans le dévoilement de l'Ouvert. Son style est sa manière propre et unique de se tenir dans cet Ouvert.

C'est là que la joie s'entend, comme une langue qu'on aurait oubliée ou qui serait devenue une langue étrangère, comme le mot du commencement, celui qui ne vieillit pas, mais fane entre les mains qui le retiennent et s'affadit pour qui en abuse. Mais la musique ne fait pas entendre le mot. La joie de la musique se donne dans le geste rythmique primordial qui réveille et libère, selon le mot de Yves Bonnefoy : « l'élan pur de la joie native qui porte un être à chanter » et à danser. « Ici, je me tiens debout et je chante ! » La joie est donnée dans cette décision, elle anime l'impulsion du pas de danse risqué au-dessus des abîmes, elle sonne déjà dans le cri du souffle naissant, parole d'avant la parole, promesse du chant. Joie surprise et surprenante, fragile et conquérante !

Plus qu'une autre, la musique du XXᵉ siècle, dans son inclination à retourner à l'élémentaire, a retrouvé la fraîcheur des deux sources vives de la musique que sont la danse et le chant, pour étancher une soif nouvelle. La liste serait longue des œuvres qui en témoignent. Rappelons ici deux œuvres majeures, *Jeux* de Debussy et *Le Sacre du Printemps* de Stravinsky, deux ballets créés l'un et l'autre au Théâtre des Champs-Elysées à Paris, en mai 1913, à quinze jours d'intervalle, par la compagnie des Ballets russes que dirigeait alors Serge Diaghilev. Evénements hautement symboliques, à portée historique, ouvrant pour la musique et la danse le temps d'une alliance nouvelle qui allait avoir l'avenir que l'on sait. Quant à la voix, elle a été très tôt au cœur de l'aventure musicale, depuis la technique du *Sprechgesang* du *Pierrot lunaire* de Arnold Schönberg, jusqu'aux pages de Luciano Berio, en passant par son mixage électronique dans la musique de John Cage. Mais c'est un trait majeur de notre modernité que la musique ait pu trouver une contemporanéité saisissante dans des formes de chant et de danse les plus archaïques. Ainsi la musique parvient-elle à inscrire au long des siècles, en d'infinies variations, la trace indélébile — quoique sans cesse menacée — d'une volonté de faire venir la terre et d'assumer l'Histoire pour les sauver de l'engloutissement.

Dans la fournaise du monde, bruyante de l'immense rumeur de la violence, de la souffrance et de la mort, « toute joie est très loin », selon le mot du poète Philippe Jaccottet, pour lequel cependant l'espoir demeure. « L'espoir qu'il y ait une autre façon de compter, de peser, une autre mesure du réel dans le rapport qui se crée avec lui dès lors qu'il nous devient, en quelque manière et pour quelque part que ce soit, intérieur. » La joie est cette autre mesure du réel qui, comme l'écrit Sébastien Labrusse, aura souvent pris chez Jaccottet « la forme d'un chant, ou même d'une chanson, et en tout cas d'une musique, c'est-à-dire d'un rythme, relié au corps qui marche comme au monde, autrement dit une mesure, accordée à cette autre mesure du réel qui donne à espérer ». Une

« mesure » ! Mais la joie se mesure-t-elle ? Le même poète répond :
« J'essayais d'entendre mieux encore ce mot [joie]... : la rondeur du fruit,
l'or des blés, la jubilation d'un orchestre de cuivres, il y avait du vrai dans
tout cela ; mais il manquait l'essentiel : la plénitude, et pas seulement la
plénitude (qui a quelque chose d'immobile, de clos, d'éternel), mais le
souvenir ou le rêve d'un espace qui, bien que plein, bien que complet, ne
cesserait, tranquillement, souverainement, de s'élargir, de s'ouvrir, à
l'image d'un temple dont les colonnes (ne portant plus que l'air ainsi
qu'on le voit aux ruines) s'écarteraient à l'infini les unes des autres, sans
rompre leurs invisibles liens, ou du char de Elie dont les roues grandi-
raient à la mesure des galaxies sans que leur essieu casse. »

Telle est la mesure sans mesure de la joie, qui est celle même de la
musique. Autre mesure du réel, autre respiration du monde à laquelle
l'œuvre musicale accorde lorsqu'on la laisse œuvrer en soi. Jeanne Hersch
l'avait admirablement formulé : « La musique nous permet d'atteindre,
d'une façon extrêmement mystérieuse et insaisissable, quelque chose
dont les hommes ont toujours rêvé et qui leur est absolument refusé, à
savoir : ce qui serait à la fois, en un, la capacité de désirer et celle de vivre
la plénitude... » Attitude paradoxale, qui ne peut être que donnée par la
musique et librement reçue dans son écoute même, ce qui ne va pas sans
un consentement à la laisser sonner en soi et devenir en nous plus intérieure que nous ne le sommes à nous-même, c'est-à-dire un consentement à se laisser mesurer par autre que soi.

« N'empêche pas la musique ! » On connaît l'injonction du Sage
au vieillard qui parle trop. Mais l'injonction peut s'étendre plus largement
et se propager comme les ondes qui rident la surface de l'eau et se perdent
sans laisser d'autre trace qu'une eau reposée. Alors l'oreille peut se laisser
surprendre par un « je ne sais quoi » qu'elle ignore encore, mais qu'elle
reconnaîtra lorsque, d'aventure, il se fera proche d'elle. Car c'est lui que
secrètement elle attend.

PHILIPPE CHARRU s.j.

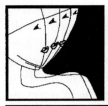

MIGRATIONS SOCIÉTÉ

**La revue bimestrielle d'analyse et de débat
sur les migrations en France et en Europe**

septembre - octobre 2002   vol. 14 - n° 83   192 p.

LES MOUVEMENTS DE RÉFUGIÉS

Mouvements de réfugiés en Afrique centrale
et dans la région des Grands Lacs

Les réfugiés birmans en Thaïlande

Réfugiés et personnes déplacées
d'Afghanistan, d'Irak, d'Iran et d'Asie centrale

Le retour des réfugiés et des personnes déplacées en Bosnie-Herzégovine

Les causes des migrations tsiganes

Des politiques européennes pour prévenir
les causes des flux migratoires et des réfugiés : une approche intégrée ?

Le régime d'asile européen commun : l'accueil des demandeurs d'asile
et l'intégration des personnes qui bénéficient de la protection internationale

La « responsabilisation » d'un seul État membre
pour l'examen d'une demande d'asile

Bibliographie sélective

Abonnements - diffusion : CIEMI : 46, rue de Montreuil - 75011 Paris
Tél. : 01 43 72 01 40 ou 01 43 72 49 34 / Fax : 01 43 72 06 42
E-mail : ciemiparis@wanadoo.fr / Siteweb : www.ciemi.org

France : 38,11 €   Étranger : 45,73 €   Soutien : 60,98 €   Le numéro : 10 €

Attentes de Dieu

Nous n'accédons pas à Dieu au gré de notre seule volonté . Il ne vient pas vers nous en s'imposant. Dans l'entre-deux de ces libertés souveraines, tout est possible, tout peut advenir. Il fait signe. Nous sommes affectés. Est-ce un goût, un dégoût, des peurs, un désir ? Il faut demeurer dans ce qui est éprouvé. Aucun code tout préparé n'existe pour traduire les signes toujours diffus dans lesquels il se cache et se montre. Aucun logiciel ne permet de s'orienter à coup sûr dans les méandres de nos réactions physiques, affectives, sexuées... Il faut inlassablement relire, décrypter. Le récit n'est jamais clos. Il s'écrit et s'écrit encore.

Les pages qui suivent sont l'attestation d'une question, ou plutôt la façon dont quelques jésuites quadragénaires l'entendent. Les six auteurs des textes ici proposés ont, pendant quinze ans, dialogué, confronté leur quête et leur attente de Dieu. Engagés sur divers terrains, ils se sont retrouvés autour de la figure évangélique de Nicodème, ce « maître en Israël », venu trouver Jésus de nuit pour quêter une vérité qu'il ignorait encore (Jn 3,1-21).

Le tic de Dieu

Luc Pareydt

Que peut dire celui qui s'est un jour épris de Dieu, qui s'est décidé à Lui parler, à L'écouter, et qui est maintenant institué pour parler de Lui à d'autres ?

Que peut bien dire celui qui a imprudemment désiré, accepté et endossé ce « ministère » de l'accès à Dieu ?

Que peut-il dire aux autres s'il ne sait plus très bien de quoi il s'agit ?

Et de moins en moins...

L'a-t-il jamais su ?

Il fut fier.

Il ne se sent pas très malin aujourd'hui.

Cependant, tout va très bien peut-être !

Si Dieu existe. Si Dieu a un visage. Si Dieu s'exprime. Si Dieu...

Nous n'en finissons pas de gloser et de parler à propos de Celui qui est sans parole. De parler à sa place. De Le faire parler.

Parle-t-Il comme nous, d'ailleurs ?

Et s'Il parle, ne serait-ce pas dans un langage non déchiffré, à jamais indéchiffrable ?

Il doit s'exprimer en usant de clins d'œil.

En nous usant, en nous fatiguant de ses clins d'œil.

Sans doute est-ce la seule trace de sa présence, l'unique perle de son discours. La perle de l'huître dont on ne sait jamais au premier coup d'œil si elle est précieuse ou si elle n'a aucun prix, mais dont le bonheur de la découverte vaut infiniment plus que la mesure de sa valeur.

Mais que dit exactement un clin d'œil ?

Rien n'est plus ouvert à la multiplicité des interprétations, et du côté de celui qui cligne de l'œil et du côté de celui qui se croit l'objet du clignement. Car il faut se croire objet du sourcillement de Dieu, sauf à être bien vite dans le désespoir.

Est-ce malice qui scande une parole énigmatique, ironique, affectueuse ?

Est-ce la séduction vulgaire du démagogue ou du dragueur ?

Est-ce un appel à la complicité ?

Est-ce le signe presque imperceptible que lance celui qui ne peut pas parler, trace de l'impuissance, de la pauvreté, de la misère ?

Est-ce l'invitation à se retirer ensemble ailleurs, loin de la foule, en des lieux et des temps plus intimes, pour parler vraiment ?

Est-ce lassitude ?...

Et alors, Dieu n'aurait-il pas le droit aussi d'avoir un tic ?

Cela nous réduirait au silence et... à l'humour.

N'est-ce pas la juste place du croyant, du chrétien, des Eglises ? Silence et humour...

On comprend l'exaspération, la moquerie ou la tristesse de l'agnostique ou de l'incroyant : les « professionnels de l'accès à Dieu » n'ont donc que la logorrhée ou le silence à la bouche, et l'humour — moins visible — pour convaincre !

On pourra dire que le Fils de Dieu, Lui, a parlé clair.

Est-ce si sûr ?

Les Evangiles sont aussi un énorme clin d'œil qui dilate le visage du Dieu-homme jusqu'à la grimace odieuse de la Croix.

Quant à la Résurrection...

Clin d'œil magistral à la raison ! A preuve nos efforts séculaires pour essayer d'en dire quelque chose qui tienne à peu près debout : pas la réincarnation, pas tout à fait l'immortalité, certainement pas la métempsycose, et surtout pas la magie... Il y a bien eu les bords du lac, le Cénacle, et Emmaüs, mais c'est tout de même léger pour en faire un discours construit et indubitable : « *Il disparut alors à leurs yeux de chair* »... au moment même où ils commençaient à saisir quelque chose. Il manque une suite au texte pour raconter ce qui s'est peut-être passé après : leur révolte. Car ils en avaient bien le droit : on ne laisse pas seuls et dans l'énigme des hommes qui sont passés au bord du gouffre du désespoir.

Voilà donc.

Les paroles du Verbe sont sans fin, sans fond ni contour : elles nous suscitent en brouillant les pistes. Elles indiquent un chemin qui est sans mode d'emploi, puisqu'il paraît que c'est à nous de le construire au fur et à mesure que nous le parcourons.

Ressemblance apparente avec l'incantation de Camus : « *Tout est donné et rien n'est expliqué* »...

Et nous voudrions transmettre ces mots et ces dits de Celui qui a attesté qu'Il était le Fils de Dieu ! En faire pour d'autres des paroles de Vie et de Vérité. Des discours. Et même une science. Et pourquoi pas une sagesse. Et même une morale pendant que nous y sommes... Ni plus ni moins. Et surtout plus que moins. Jusqu'à la farouche certitude d'avoir raison contre tous. Piètre destin du clin d'œil de Dieu dans les religions, de génération en génération. Et si tout cela — les religions, les Eglises, les théologies et les pastorales — avait été construit sur une interprétation illusoire des tics de Dieu ?

Après tout, voulait-Il vraiment dire quelque chose ?

L'accès à Dieu, c'est la déroute.

Sans doute a-t-il raison, Dieu, de procéder ainsi. Si Sa présence et Ses signes étaient clairs et nets, ce serait terrible. Un combat, une guerre, une émeute pour se l'approprier. Le flou divin a déjà produit suffisamment de désordre. S'il avait fourni le mode d'emploi et la posologie avec les clins d'œil, nous serions dans de pires draps encore !

Alors, que dire et que faire ?

Rien ? Impossible : ce clin d'œil-là saisit au plus intime, au plus essentiel comme au plus contradictoire de l'être. Comment n'en pas parler ?

Comment n'en rien dire ? D'être ainsi taraudé se voit, paraît-il.

Et puisque cela se montre sans qu'on le veuille, nous voici sommés d'en parler alors même que nous n'en aurions pas envie, pas le temps, pas le goût d'en exprimer quoi que ce soit.

C'est souvent comme cela. Et sans doute est-ce un bon indice du moment où il faut laisser l'étonnement nous ouvrir la bouche, et de faire à son tour un clin d'œil. Garantie de modestie : la seule valeur qui puisse mesurer la sincérité du discours « sur » Dieu.

« *J'ai cru, c'est pourquoi j'ai parlé* », dit Paul. Suspect... Ne serait-ce pas plutôt : je ne sais pas dire, c'est pourquoi j'ai laissé faire le tic de Dieu ?

Car ce tic est contagieux. Pas une imitation, pas une répétition. Une contagion.

Freud disait qu'il avait apporté la peste.

Dieu pourrait dire qu'Il a apporté l'énigme.

C'est bien plus contagieux.

Des signes et quelque chose d'autre

FRANÇOIS EUVÉ

NICODÈME est un passeur. C'est d'abord un passant. Il traverse l'Evangile, du début à la fin. Il fut le premier à questionner Jésus et, au terme, il sera celui qui vient embaumer son corps, quand « tout est accompli ». Son passage est discret, mais significatif. Il peut accompagner le nôtre, si du moins nous désirons effectuer cette traversée. C'en est en effet la condition : vouloir se mettre en route, entendre un appel à partir, prêter l'oreille. La voix peut être à peine audible, et les images encombrent l'esprit, mais sa résonance provoque l'attention.

Qu'est-ce qui pousse Nicodème vers Jésus ? Des signes et quelque chose d'autre. Les signes sont visibles. Nicodème les a vus : des signes concrets qui expriment le nouveau en train de survenir. L'Evangile n'en a guère encore rapporté. Mais il a déjà montré le premier : l'eau de purification rituelle changée en vin pour un banquet de noces. D'autres viendront, des guérisons surtout, des corps qui retrouvent plein accès à la vie. Les signes sont constatés et interprétés. Celui qui les accomplit « vient de la part de Dieu », car ce qu'il fait sort de l'ordinaire, du train habituel des choses. Du nouveau se manifeste, encore difficile à interpréter. Dire « Dieu est là » est aller un peu vite, mais la porte est ouverte.

Quelque chose d'autre attire, plus secret, plus intérieur, difficile, peut-être impossible à formuler. L'Evangile le qualifie : « voir le royaume de Dieu ». C'est Jésus qui le dit à Nicodème. Plus loin, il est écrit : « entrer dans le royaume de Dieu ». De quel royaume s'agit-il ? Non pas une cité idéale, un monde enchanté et magique, la réalisation de toutes les utopies. On pourrait dire sans doute de manière équivalente : entrer dans la vie authentique, la vie « éternelle ». Là où Dieu règne, la mort n'a plus aucun pouvoir, ni sur les âmes ni sur les corps.

Est-ce bien sûr que les signes annoncent une réalité nouvelle, le « royaume de Dieu », la vie éternelle ? Est-ce bien crédible ? Comment le vérifier, non seulement en théorie, mais par expérience éprouvée ? La question est sans doute celle du sage Nicodème, elle est aussi la nôtre aujourd'hui. Deux mille ans d'histoire de l'Eglise, d'histoire de lecture de ce texte, nous ont-ils rapprochés du « royaume » ? Il serait facile de répondre par la négative. Les arguments ne manquent pas. On pourrait d'ailleurs leur opposer autant de contre-arguments, dans une discussion sans fin. Mais peut-on vérifier cela sans accepter d'*entrer* soi-même dans cette expérience ? Il vous faut « naître d'en haut », « naître de nouveau », dit le texte. Non pas rester sur la « touche », en position de spectateur, pesant le pour et le contre, mais se laisser prendre. Quitter la position de l'observateur qui compte les points.

Une autre difficulté surgit alors. La « re-naissance » est une perspective exaltante pour celui qui éprouve dans sa chair la pesanteur trop lourde de sa vie. Qui n'a jamais rêvé de renaître, de recommencer à zéro, d'être un autre homme, de faire « peau neuve » ? On peut développer à l'infini la liste de ces aspirations et l'enrichir de sa propre expérience. Mais c'est un rêve, nous ne le savons que trop bien. A moins de percevoir que ce savoir trop évident, ce « bon sens » trop massif, nous empêche de voir que s'ouvre un chemin possible.

Les signes de cette ouverture ne sont pas évidents. Ils peuvent, et sans doute doivent, être *questionnés*. « Comment cela peut-il se faire ? » Question aussi de Marie à l'Annonciation. Question d'un homme libre, qui ne craint pas de s'interroger, d'interroger l'autre, même si cela bouscule les habitudes acquises. La réponse est à entendre dans l'« eau » et dans le « vent », selon les images du texte, ou, si l'on préfère, à la fois dans la « chair » et dans l'« esprit ». Deux images ou deux notions qui s'opposent, mais qu'il faut tenir ensemble. Non pas se laisser emporter au premier souffle de vent, sans

91

entendre sa voix, sans discerner d'où il vient. Nous ne le « savons » pas, pas plus que nous ne « savons » où il va. Le vent est insaisissable. Nous ne pouvons l'emprisonner dans nos mains, le retenir pour l'empêcher de souffler où il veut. Mais le vent est éprouvé par son effet sur la chair. Brise qui rafraîchit ou tornade qui bouscule, il ne passe pas sans effet. Nous n'accédons pas à l'esprit sans passer par la chair.

Nicodème chemine lentement. Il n'est plus tout jeune, alourdi par le poids de l'expérience d'un sage. Que comprend-il ? Arrivé « de nuit », il avance vers la lumière. Il a vu une lueur dans la nuit, qui n'est pas encore la pleine clarté. Plutôt l'aube, promesse d'un jour nouveau.

Ce n'est pas le mot Dieu
qui est énigmatique

Gérard Bailhache

Ce n'est pas le mot Dieu qui est énigmatique, c'est son approche, celle venant de l'homme, celle venant de lui. Les chemins se croisent à certains moments, ils s'éloignent à d'autres, et ils transforment ceux qui les tracent. Le chemin de Dieu vers l'homme le rend toujours plus surprenant pour ce dernier, car Dieu ne vient jamais comme il est attendu ; le chemin de l'homme vers Dieu dépouille l'homme des images et rêves qu'il s'est faits et le dénude progressivement. Chemins de rencontres, chemins de nudité, de dénuement, d'affolement, de déroutement, si le mot existe. L'éloignement et la proximité vont ici ensemble, la fugacité des touches va de pair avec la distance la plus grande ressentie durablement. Paradoxe de ce chemin entrecroisé, paradoxe de ces rencontres fugitives et brûlantes, sources vives pour la mémoire oublieuse, chaque jour prête à nier ce qui a eu lieu, s'acharnant quasi méthodiquement à dire « non, cela n'a pas été ». Et le souffle du corps vient redire lentement ce qui a été donné, imperceptiblement, fugacement, mais assez fortement pour que le jour aille à son terme sans que la nuit soit entière.

Le corps est le porteur des souvenirs. Il en est la mémoire profonde. Son oubli conduit à entrer dans ce sourd travail de désespoir, de sape permanente, effritement progressif de tout ce qui a été donné, érosion incessante de ce qui a vraiment été offert.

Dieu prend corps. Voilà le plus indicible et le plus simple. Dieu ne cesse de prendre corps. Le chemin vers lui passe par le corps, le corps unique de chacun, c'est là qu'il nous atteint et nous rejoint, c'est là qu'il nous donne souffle, c'est là qu'il réveille le plus secret de l'Esprit, cette force douce et violente qui fait marcher dans le jour et la nuit, lorsque rien n'éclaire les pas.

Dieu corps, pas sans, toujours avec, insensible et plus que sensible, invisible et plus que visible. Visibilité incroyable de Dieu dans ce corps pris dans l'histoire, élevé dans la gloire, attendu pour son retour. Corps qui touche nos corps dans un geste humble, banal, quotidien, avec du pain et du vin, lors d'un repas partagé avec ceux qu'il aime.

Dieu en corps, Dieu en pain, Dieu en vin, nourriture et boisson, offrande simple et inépuisable, car à répéter, comme tout repas. Jésus achève sa vie par un repas auquel nous n'avons accès que par la mémoire de ceux qui l'ont partagé. Autant il nous est rapporté plusieurs fois que les disciples doutèrent, autant là, aucun témoin ne rapporte de doute. Le dernier repas est simple, comme tout repas, il est accueilli comme la nourriture qu'il est, sans fin à reprendre, jusqu'à la venue du dernier souffle. Dieu nous nourrit de sa vie dans ce repas appelé à une mémoire jusqu'à la fin des temps de l'homme. Jésus laisse une trace de son passage dans et par un geste quotidien qui réunit chaque jour des milliards d'hommes, et dont aussi des milliards sont exclus. C'est dans ce plus habituel et ce plus routinier que se donne la nourriture la plus fondamentale et la plus manquante, l'amour. C'est un repas d'amour qui scande l'histoire depuis qu'il a été inauguré. Il rassemble des foules immenses et convoque des solitaires, il nourrit des communautés et fortifie les esseulés, il invite les multitudes et est reçu par quelques-uns : c'est un repas de fête aux dimensions variables, à chaque fois promesse d'un repas où tous seront rassemblés.

Dieu aliment, Dieu nourriture, Dieu promesse : tout se réunit dans ce moment de l'histoire de Jésus avec ses amis, tout se condense et tout s'annonce. Repas mystérieusement ouvert sur l'avenir, repas qui tourne nos yeux au plus intime de nous-mêmes et à l'avenir dont il porte l'annonce. Il est demandé d'en faire mémoire, afin que nous soyons tournés vers l'attente et la réalisation des promesses. Le présent le plus important qui nous convoque à notre présent est une anticipation d'un avenir sans image. En faisant mémoire, nous ne nous tournons pas vers un passé avec nostalgie de sa disparition, nous regardons vers l'avenir qui sera réalisation des promesses.

Le pain et le vin, Dieu en partage : il est chaque fois donné d'être remis devant un don que nul homme n'aurait pu imaginer, un don unique, pauvre, essentiellement pauvre, qui s'ouvre aux cœurs épris de vie avec et pour les autres. Dieu s'offre en laissant à nos mains des miettes de pain, des gouttes de vin, signes dérisoires, signes faibles, signes chaque fois disparaissant, disparus, broyés dans des milliards de corps qui se laissent atteindre par une nourriture infime pour une marche imprévisible sur une route inconnue. Miettes et gouttes précieuses et périssables, précieusement périssables, offertes à nos faims inassouvies, à nos soifs inapaisées, miettes et gouttes de Dieu, de ce Dieu incroyablement présent à nos côtés au point que nous ne le reconnaissons pas quand il est là, que seule la brûlure de nos cœurs nourris reconnaît, toujours avec un pas de retard. Comme les disciples d'Emmaüs, c'est le croisement du repas et de la parole qui nous porte plus loin que nous n'allions, poussés par un vent léger vers ceux qui attendent, porteurs alors de mots nouveaux pour dire l'infinie tendre patience du marcheur infatigable, l'infini passant de nos histoires humaines, ce corps de Dieu en voyage jusqu'au jour que lui seul connaît.

Dieu corps, Dieu marcheur, Dieu simple, Dieu voyageur depuis le commencement du monde, chercheur de l'homme jusqu'au dernier, l'inoublieux par excellence, tel est le passant de l'Évangile, à jamais vivant dans ces miettes et ces gouttes chaque jour offertes, partagées, mangées et bues. Dieu se donne à manger et à boire, et nous n'en avons pas fini de nous laisser surprendre par ces gestes dérisoires et beaux, gestes de la vie quotidienne.

Dieu quotidien, banalement quotidien, Dieu sans éclat ni triomphe, Dieu se donnant, donnant sans frein tout ce qu'il est, livrant ce qui le fait vivre pour que d'autres vivent.

Attendre un ami

PASCAL SEVEZ

PARLER à Dieu, c'est accepter d'entrer dans une relation. Le faste des églises, le ressassement des liturgies, les débats des conciles ont pu nous donner à croire que Dieu était une affaire de religion, de définition. S'adresse-t-on à un concept ?

Pourtant, à chaque fois, c'est cette intimité avec Dieu qui a irrigué du plus profond ces mots et ces gestes qui ont structuré l'Eglise. Mais rien de plus indicible que cette source vive. Elle nous a été transmise. D'autres nous en ont parlé, nous y ont conduits. Un jour, cependant, cette histoire de Jésus-Christ n'en a plus été une. Nous nous sommes découverts compagnons d'un homme qui a marché sur les routes de notre terre. L'hostie des eucharisties est devenue le pain partagé d'un repas commun. Nous le croyions mort, passé. Il est vivant.

Le monde entier s'est offert à la lumière de ses pas. La poussière s'est mise à scintiller de ses traces. La banalité des jours n'en a pas été effacée pour autant. Elle s'est éclairée, habitée alors par la présence d'un nouvel ami. Tout s'est mis à parler de Dieu. Les événements des jours, les rencontres, les lectures ont commencé à dire et à redire la crainte de ses absences, l'illumination de ses confidences.

Il ne s'agissait plus alors de savoir si Dieu était nécessaire ou s'il était utile, si son existence expliquait le monde ou répondait à la mort. Le temps s'est mis à s'écouler autrement. La prière s'est développée en moments inattendus d'affection, en une futilité de camaraderie. Il ne s'agissait plus tellement de dire ou de faire, mais de laisser se creuser au fil des jours une intimité, de laisser ses sens et son cœur être touchés par lui, par sa manière de vivre.

Dieu est le Ressuscité qui a préparé le repas sur la rive du lac. Il est Celui qui marche à nos côtés sans se lasser, comme il a marché sur les routes de Galilée sans s'inquiéter de perdre du temps, sans se préoccuper de ne pas être ailleurs. Il est le visage rayonnant sur la montagne, dévoilant pour nos regards cette lumière qui nous illumine déjà. Il est Celui qui dans l'abandon et l'angoisse d'un jardin s'est abandonné sans réserve entre les mains de son Père. Il est ce Dieu qui a appris d'un homme et d'une femme à prier. Il est ce Berger qui abandonne tout pour partir à la recherche de la brebis perdue et qui rayonne de joie lorsqu'il l'a retrouvée. Il est ce conteur de paraboles qui nous raconte un royaume où nos calculs, nos ayant-droit n'ont plus cours. Il est l'ami qui pleure Lazare. Il est ce corps que ne peut retenir Marie-Madeleine.

Gestes d'approche

ALAIN THOMASSET

Il est venu de nuit, elle s'est approchée par derrière.

Nicodème, le sage et le savant, approche Jésus dans l'obscurité. Indécis ? Curieux ? Avait-il peur des Juifs ? Craignait-il pour sa réputation ? Il vient quêter une vérité dans la discrétion du soir, à l'abri des regards, à l'écoute de son désir... Dépouillé des lustres de l'apparat et des gestes respectueux ou complaisants. Il ne sait pas encore ce qu'il cherche. Les signes qu'il a vus l'ont troublé, les paroles entendues l'ont bouleversé. Il a mis des mots — provisoires — sur ce qu'il a perçu : « Tu es un maître qui vient de la part de Dieu »...

Une femme souffrait d'hémorragies depuis douze ans. Elle avait dépensé tout ce qu'elle possédait avec les médecins. Ayant appris ce qu'on disait de Jésus, elle vient par derrière dans la foule et touche son vêtement. (*Mc* 5, 25 sq.). Le mal qui la ronge la rend impure, sa démarche transgresse les règles. Elle vient aussi oser sa foi dans le secret : « Si j'arrive à toucher au moins ses vêtements, je serai sauvée. »

L'un vient en face, en tête-à-tête, mais de nuit ; l'autre est venue au milieu de la foule, mais par derrière. L'un et l'autre sont habités d'une attente qu'ils ne peuvent ou ne savent pourtant pas nommer : connaître la vérité, guérir, être sauvé ? Quel signe, quelle parole de cet homme Jésus les a poussés à prendre un jour ce risque ? Risque d'être banni du Sanhédrin, risque de perdre toute vie sociale... L'audace est mesurée, mais bien réelle.

Il est venu de nuit, elle était là à midi.

Pourquoi venait-elle puiser l'eau à l'heure où le soleil frappe si fort ? Cette femme de Samarie fuirait-elle les autres femmes du village ? (*Jn* 4). Elle qui a eu cinq maris, la honte colle à sa peau comme elle détermine ses gestes. Or, voici qu'un homme, et un étranger, lui demande à boire ! Jésus accueille Nicodème venu en secret. Il rejoint la Samaritaine au lieu de sa honte. Pourtant, Jésus rudoie le sage : « A moins de naître d'en haut, nul ne peut voir le Royaume de Dieu... Tu es maître en Israël et tu n'as pas connaissance de ces choses ! » Et il interpelle la femme : « Si tu savais le don de Dieu et celui qui te dit : donne-moi à boire, c'est toi qui aurait demandé et il t'aurait donné de l'eau vive ! » Comment savoir ce don ? Où est-elle la source d'où l'on renaît, même vieux ?

Jésus déplie avec respect, mais aussi fermeté, la matière noueuse des êtres où le désir se plaît à créer les replis dans lesquels il se cache.

Pour voir Jésus, l'un est venu de nuit, l'autre est monté sur un arbre.

Zachée est trop petit et les autres ne le laisseront sûrement pas passer. Le collecteur d'impôts porte sur lui une autre peste que celle qui ronge les corps. Une réputation de voleur, une renommée de collaborateur... (*Lc* 19). Pourtant, le voici qui court en avant, et monte sur un sycomore pour voir Jésus qui devait passer par là. Nicodème, l'homme bien né, se cache, tandis que Zachée s'expose aux regards de tous, tout en avouant que la foule est pour lui un obstacle. Jésus lève les yeux vers lui. Depuis en bas, il se tourne vers celui qui n'a été regardé que de haut !

De sa rencontre nocturne, Nicodème repart sans trop comprendre. Il reviendra pourtant une autre nuit, celle de la croix, honorer le corps de Jésus avec un parfum de grand prix (*Jn* 19, 39). La femme malade est guérie, sa foi secrète sera révélée au grand jour. La Samaritaine repart chez elle, elle reviendra avec les gens de la ville, et conduira beaucoup vers celui qu'elle a rencontré. Quant à Zachée, il reçoit Jésus avec joie, « debout » ; il annonce qu'il fera justice aux pauvres.

D'autres pourraient être évoqués, comme cette femme qui vient pleurer aux pieds de Jésus, les embrasser et essuyer ses larmes avec ses cheveux (*Lc* 7,36-50), ou encore cette Cananéenne qui se compare aux petits chiens sous la table qui mangent les miettes des enfants (*Mc* 8, 24-30)...

Autant de personnages, autant de chemins d'approche qui disent tout ensemble leur peur et leur désir, leur quête et leur humilité, leur discrétion et leur audace. Pour eux, Jésus se laisse approcher, toucher, interroger. Par les gestes et dans les corps se dévoilent nos manières de vouloir, d'aimer, d'oser dire. Nicodème est le frère de la nombreuse famille de ceux et celles qui ont laissé un jour leur attente se manifester.

Chercher Dieu en toutes choses

Gérard Bailhache

CHERCHER, et chercher encore. Sans fin. Chaque jour. Jour après jour. Aujourd'hui. Hier. Demain. Maintenant. Ici. En cet instant reçu. Reçu parce que donné. Et voilà que tout change. Le temps est donné. Il est offert. Il est le lieu de ce chercher qui ne se satisfait d'aucun trouvé.

Pas d'espace privilégié pour ce chercher. Tout. Absolument tout est lieu de ce désir ardent, le plus souvent éteint. Chaque rencontre, chaque moment relance le désir de la quête. Etre là avec un autre humain, vivre le silence, déchiffrer un texte, balayer un couloir, laver du linge, prendre un repas, tous ces gestes, et tous les autres, sont habités par ce désir. Rien n'y échappe, sinon celui qui désire et qui souvent se laisse tomber dans le sommeil.

En toutes choses, veiller, patienter, désirer, reconnaître, découvrir, se réjouir, continuer. Il n'est jamais là, parce que je ne suis jamais complètement là. Chercher, c'est reconnaître ce léger décalage, cette absence à moi-même qui conduit à ne pas être là lorsqu'il est là, et à le reconnaître lorsqu'il est déjà parti, quelques pas plus loin, vers un autre, des autres. Il n'y a là nul regret, mais bien reconnaissance amoureuse que l'amant véritable me précède toujours un peu, qu'il sait atteindre au plus intime et plus vivant lors même que je refuse.

Le chercher en toutes choses, lui, lui seul, c'est découvrir que je cherche beaucoup d'autres que lui. Il ravive mon désir de son passage plus que de sa présence, car sa présence dirait ma fin. Il est en transhumance parmi nous, il ne nous convoque pas à nous arrêter mais bien à marcher, portés par le secret désir de sa venue pour tous. Le chercher en toutes choses, c'est ne jamais le garder pour soi, mais bien le reconnaître quand il passe, et le désigner à ceux qu'il nous confie. Le chercher conduit à le désigner, à pointer notre doigt vers lui lorsqu'il nous est demandé qui nous sommes. Le chercher en toutes choses, c'est le découvrir toujours plus comme promesse de vie, de cette vie vraie qui ne retient rien de ce qui la nourrit, qui ne se fige pas sur des poses bien établies.

Le chercher en toutes choses, c'est de plus en plus le tutoyer, te tutoyer, devenir partenaire d'une relation sans fin renouée. Te chercher et t'apprivoiser, me laisser chercher et apprivoiser, être relancé vers les humains qui déjà t'ont accueilli tant leur désir est grand d'une paix maintenant si absente.

Il n'y a nul arrêt, si ce n'est le sommeil quotidien qui repose l'être entier en le recréant au plus profond. Et même là, me laisser surprendre par ces réveils soudains, où se murmurent en moi, incroyables et souvent « incrus », comme insus, des mots donnés un jour, hier ou avant-hier, peu importe, qui retissent dans la nuit la mémoire amoureuse qu'il a secrètement nourrie par sa parole.

Te chercher en toutes choses, c'est me laisser atteindre par toutes choses, par tout autrui, le plus proche et le plus lointain. Tout ce qui advient est espace et temps pour t'accueillir.

Te chercher en toutes choses, c'est réentendre dans les situations les plus inhumaines les mots que tu as déposés en notre terre pour laisser germer une espérance folle.

« A la limite extrême du déchirement, il ne reste plus rien que les conditions de l'espace et du temps » : ces mots de Hölderlin me disent ce te chercher en toutes choses, dans mon corps, avec les corps des autres milliards d'humains dispersés sur toute la terre humaine et inhumaine. L'espace et le temps sont les deux conditions inoubliables du chemin, de la recherche, de sa reprise et de sa relance inachevées et inachevables. Dans ce temps et dans cet espace naît et grandit le désir de toi, non pas de tous, mais seulement de quelques-uns vers toi. Habiter cet espace et ce temps, se laisser conduire toujours mieux vers eux, c'est-à-dire y demeurer en se laissant chaque jour déloger de ses abris, voilà ce qui est remis.

Te chercher en toutes choses, c'est éprouver que la plupart ne te cherchent pas, qu'ils n'ont nul intérêt pour cette quête, qu'ils sont occupés ailleurs. Partager cet ailleurs, l'entendre, le découvrir, c'est découvrir d'autres manières de vivre, de penser, d'aimer, de croire. Te chercher là, c'est me laisser dérouter, suivre des voies nouvelles, parcourir des chemins inconnus parce qu'ignorés. Te chercher, c'est vivre le labeur humain qui désire que l'homme soit un peu plus homme, c'est partager le désir de briser la violence permanente qui ne cesse de déchirer le corps de l'humanité, à côté de moi, en moi, très loin de moi, partout, depuis toujours. C'est alors découvrir secrètement, dans la veille amoureuse, que tu as connu cette violence, que tu t'y es exposé, et qu'en ce lieu repose une nouvelle à accueillir jour après jour.

Te chercher en toutes choses, c'est lentement laisser éclairer mes pas et ceux de tous par cette lumière qui ne vient pas de nos efforts tenaces et acharnés, qui vient d'un lieu que nous n'avons pas créé, où tu nous invites silencieusement.

Te chercher en toutes choses, c'est découvrir ta manière de venir vers nous en nous conduisant là où tu as tout dit, ce tombeau vide où l'ombre portée de la croix que ton corps a brûlée de son passage laisse résonner sur notre terre l'espérance folle d'une promesse chaque jour redonnée.

En toutes choses, te chercher, en toutes choses, te désirer, en toutes choses, t'espérer. C'est sans fin. C'est aujourd'hui. Ce sera demain, puis après-demain, et après-après-demain. C'est toujours maintenant, jusqu'à la fin.

Naître d'en haut,
naître une seconde fois

Paul Legavre

La relation de Jésus à Nicodème débute de façon abrupte : voici une autorité chez les Juifs, un maître en Israël, qui vient trouver Jésus, de nuit, et Jésus lui parle de façon énigmatique de Dieu et de l'accès à Dieu.

Il est beaucoup question de *savoir* et de *pouvoir-faire* dans ces lignes. C'est somme toute une bonne chose, puisqu'il est question de la condition humaine dans ce qu'elle a de plus profond : l'ouverture au mystère de la vie.

« Rabbi, *nous savons* que de la part de Dieu tu es venu en maître ! Car *personne ne peut faire* ces signes que tu fais, si Dieu n'est pas avec lui. » Jésus s'oppose à ce savoir de Nicodème et retourne la question du pouvoir-faire : « Qui n'est pas engendré d'en haut *ne peut voir* le Royaume de Dieu, qui n'est pas engendré d'eau et d'Esprit *ne peut entrer* dans le Royaume de Dieu ; le vent souffle où il veut, et sa voix tu l'entends, mais *tu ne sais* d'où il vient ni où il va. Ainsi en est-il de tout homme né de l'Esprit. » Par deux questions, le Pharisien dit son étonnement : « Comment un homme *peut-il naître,* quand il est vieux ? » Et « *comment cela peut-il se faire ?* »

Jésus oppose à la prétention de Nicodème, fondée sur son autorité et sa science, un accès énigmatique à Dieu qui échappe au savoir de l'homme et à son pouvoir, y compris pour l'homme religieux et de bonne foi qu'est Nicodème. Bien plus, Jésus lie la question de la compréhension de sa personne et de sa mission à l'entrée dans le Royaume de Dieu, c'est-à-dire à la venue définitive du monde de Dieu parmi les hommes.

Pas d'accès à Dieu sans une nouvelle naissance. L'accès à Dieu est une nouvelle naissance.

« Comment l'homme peut-il naître quand il est vieux ? Peut-il entrer une seconde fois dans le sein de sa mère et naître ? »

Comment peut-on naître quand on est vieux ? Cette question me parle d'une promesse, dont nous pouvons à certaines heures expérimenter la réalité et les bienfaits, et qui invite à aller de l'avant, vers la naissance à venir dont parle Jésus et qui n'est jamais achevée. Cette promesse met en mouvement. Il en va souvent ainsi avec l'Evangile. Une parole prend un jour du poids, une saveur nouvelle, elle est là, attirante et sans réponse, elle creuse le désir. Pas de savoir suffisant pour l'expliquer. On peut seulement se fier à l'expérience de ce que de telles phrases ont déjà opéré dans son existence. Et se mettre en marche.

Jésus ne dit pas qu'il s'agit d'une image, que ce qui est en jeu est comme une nouvelle naissance. Il dit : il vous faut naître d'en haut, il vous faut naître d'eau et d'Esprit, il vous faut naître du Souffle.

La parole de Jésus, tellement abrupte, ferait-elle obstacle à l'accès à Dieu ?

Ce qu'elle ouvre, c'est sans doute ceci : le mystère de la vie est de naître à soi-même.

L'accès à Dieu serait lié au mystère de la vie. La vie, on ne pourrait que la recevoir et s'y fier, en s'en remettant à celui qui parle ainsi, Jésus, Verbe et parole de Dieu. La vie échapperait à notre pouvoir et à notre savoir. Vivre, ce serait reconnaître que nous ne sommes pas à l'origine de notre vie. Vivre, ce serait s'en remettre à un autre.

Alors la naissance à la vie et à soi-même est naissance à Dieu. Elle ne peut être que l'œuvre de Dieu.

Les Carnets d'Etvdes

T

THÉÂTRE

S'agite et se pavane

de Ingmar BERGMAN
Première mondiale. Mise en scène de Roger Planchon
au Studio 24, Villeurbanne

« LA VIE n'est qu'un fantôme errant, un pauvre comédien qui s'agite et se pavane une heure sur scène et qu'ensuite on n'entend plus... » Tels sont les mots de Lord Macbeth, juste après la mort de Lady Macbeth, alors qu'un messager lui annonce que la forêt de Dunsinane s'est mise en marche. Ingmar Bergman s'en est servi comme titre de cette fable théâtrale douloureuse et flamboyante que Roger Planchon présente ainsi : « Ingmar Bergman reprend dans *S'agite et se pavane* un épisode de la vie de son oncle [1]. En 1925, quelques années avant la naissance du cinéma parlant, Carl met au point une invention farfelue : "the living talking picture". Pour présenter au monde sa merveille, il tourne un film : l'histoire d'amour de Franz Schubert, mort en 1828, et d'une jeune prostituée viennoise, Mitzi, morte en 1908 (les temps se mélangent). Le film et l'invention sont rejetés par tous, mais l'oncle Carl ne se décourage pas. Il organise une tournée en province, dans la région où il a passé son enfance. » Après quelques images du film, l'appareil de Carl fait sauter les plombs du tableau électrique, et là est la merveille, qu'évoque Roger Planchon : l'oncle de Ingmar doit inventer le théâtre pour douze spectateurs, à la lueur des bougies de son enfance.

Bergman avait toujours refusé l'autorisation de représenter *S'agite et se pavane*. Séduit par l'originalité de l'entreprise que lui a présentée Roger Planchon, il lui a confié sa pièce à l'occasion de l'ouverture du Studio 24 [2], qui est une sorte d'immense boîte de 41 mètres sur 22 (900 mètres carrés de plateau), parfaitement insonorisée et couverte sur toute sa surface par « un plafond technique » où l'on peut fixer et suspendre tout ce qu'on souhaite – châssis, toiles, projecteurs. Vide, c'est un studio cinématographique, le premier construit en province depuis celui de la Victorine, à Nice, il y a quatre-vingt-trois ans, et de surcroît mitoyen avec les ateliers de

1. C'est le personnage de l'oncle Carl qui, dans le merveilleux film *Fanny et Alexandre,* a une telle complicité avec les enfants.

2. Le Studio 24, parce que 24 images/seconde – 24, rue Emile-Decorps.

Les Carnets d'Études

construction des décors du TNP. Mais le studio peut facilement devenir théâtre par un jeu de gradins mobiles pour 450 spectateurs. Ainsi se retrouve la double vocation théâtrale et cinématographique de Bergman, qui a mis en scène plus d'une centaine de chefs-d'œuvre du théâtre universel, tournant ses films fameux pendant l'été ! « C'est au théâtre, dit-il, que j'ai connu ces amis : Strindberg, Macbeth, Faust, qui m'ont suivi et me suivront toute ma vie. » C'est l'une des racines de sa création, dont ses films eux-mêmes sont sortis. Planchon, à sa manière, poursuit cette grandiose aventure.

Sa magnifique mise en scène de *S'agite et se pavane* illumine les profondeurs de la pièce. D'abord le décor simple et somptueux, inventé par Ezio Frigerio, son complice depuis de nombreuses années : une forêt de hauts sapins couverts de neige qui entoure la clinique au début, et semble pénétrer à l'intérieur ; de même que le misérable local de la Ligue de tempérance de Gränäs, au 2e acte, où aura lieu la projection du premier film parlant vivant de l'histoire de la cinématographie : *La Joie de la fille de joie !* La forêt se dessine à plusieurs niveaux, à la fois proche et lointaine, et suggère de façon mystérieuse la présence du passé, l'histoire déchirante de Schubert que joue Carl dans le film au cœur de la pièce.

Carl Akerbrom est à la fois simple d'esprit et inventeur acharné, doux avec des poussées de violence, pétomane, incontinent, et passionné de musique. Il est fasciné par l'angoisse du pauvre Schubert découvrant sa syphilis, pendant que sonne le carillon de l'église de la Trinité toute proche. Un monde de personnages l'entoure. D'abord, dans l'asile, un certain vieux professeur, Osvald Vögler, qui rencontre de temps en temps Swedenborg (mort au XVIIIe siècle !), lequel lui parle de « l'inconcevable beauté des anges » reflétant la face de Dieu. La femme de Vögler, immensément riche, est sourde et muette, très attachée à son mari. Et il y a encore, parmi beaucoup d'autres, Pauline Thibault, une chiropraticienne de 22 ans qui voue à Carl un bouleversant amour, admirant sa passion presque enfantine d'inventeur. Lui, revêche, brusque, doute toujours qu'on puisse l'aimer.

Dans son échange avec Stella l'infirmière, qui tente de lui faire prendre ses médicaments pour le soulager, se perçoit la complexité émouvante de son caractère. Il vit dans une sorte de supplice permanent. « Les mauvais esprits de l'enfer déchirent mes entrailles. Tout le mal que j'ai fait à Pauline. [...] Ah ! Seigneur, mon Dieu, aie pitié de moi ! » Il voudrait devenir humble et ne plus lutter avec Dieu. Et il ajoute ce trait extraordinaire : « Je suis non seulement un enfant qui a peur, mais aussi un enfant rieur. Je ris souvent de ma triste situation. [...] Je peux voir mes grimaces. » Il n'implore pas la pitié. Il se blottit dans la musique de Schubert : « Schubert, mon frère bien-aimé. » Et c'est dans cet esprit qu'il va inventer toute cette histoire de l'amour de Schubert pour une jeune prostituée, cette Mitzi, née à la fin du XIXe siècle, qui s'est suicidée par désespoir d'amour pour un jeune étudiant, tout en vénérant Schubert.

T

THÉÂTRE

Bien sûr, le diable rôde, du début à la fin, plus terrible que l'Homme en noir du *Septième Sceau* jouant aux dés avec le Chevalier. Ici, c'est un clown féminin, habillé de soie blanche, au visage peint en blanc, aux lèvres noires, aux seins provocants, silhouette obscène et glacée. Elle apparaît, disparaît, revient. Peut-être a-t-elle moins de pouvoir qu'il ne semble, car « la compassion libère », dit Pauline à la suite de Carl citant Schopenhauer. Cette compassion baigne tous les personnages de la pièce (et du film), car le réel et le songe s'entre-mêlent, notamment lorsque, dans l'ombre, les douze spectateurs et les acteurs du passé vivent une si profonde communion au sein de leur misère illuminée par la musique. Malgré la maladie qui ronge sa chair, ses nerfs, son cerveau, le pauvre Schubert s'exclame : « A chaque minute, mon frère, à chaque minute je vis dans cet enfer. Mais Dieu m'a fait don de ce cri de joie, ce cri si bref, et cela soulage, adoucit la douleur... » Et il espère communiquer cette joie de sa der-nière symphonie à tous ceux qui vivront après lui « dans l'enfer de leur humiliation ».

Avant que le spectacle ne reprenne, Märta Lundberg, la bonne institutrice, avait déjà lu d'une voix émue l'histoire d'un jeune homme qui cherche sa voie. « Tu te plains parce que tu appelles Dieu et que Dieu se tait. Tu dis que tu es enfermé et tu as peur que ce soit un châtiment à vie, bien que personne n'en dise rien. Réfléchis alors au fait que tu es ton propre juge et ton propre geôlier. « Prisonnier, sors de ta prison ! » Les geôliers sont seulement la peur et l'orgueil. Et c'est bien ainsi que Mitzi échappe à son maître inflexible et per-vers, abandonnant tout, maison et bijoux, tout ce qu'elle a reçu de son tyran, pour rejoindre le pauvre Schubert qu'elle vénère et qui se meurt. « Je peux faire ce que je veux ! » Et elle lui apporte des fleurs dans son lit, alors qu'il lui offre en échange un peu d'argent pour qu'elle rejoigne l'étudiant qu'elle aime. « Dieu vous donne à tous deux le bonheur que je n'ai jamais connu. » L'oncle Carl, alors, fond en larmes, pendant que Pauline (qui joue Mitzi) se glisse au piano et interprète pendant quelques minutes l'*Impromptu 142 n° 1 en fa mineur.* Une tendresse indicible baigne toute la scène, malgré la misère toujours présente. Le terrible clown blanc est maintenant tout près, Schubert agonise. La forêt aux sapins immenses, sur laquelle tombe la neige, semble couvrir le monde d'une beauté mys-térieuse. Le pauvre oncle Carl, s'identifiant toujours, à la fin, à Schubert, reprend les mots qu'il lui prête au début, quand le musi-cien sublime découvre sur son corps la syphilis : « On sombre. » Mais, juste avant, lui a été donnée la phrase qu'il introduit dans son film, dont il décrit ainsi la scène finale : « Il faut se représenter la pièce misérable, puante, baignée par une lumière magique. Une lumière autre que celle du soleil, si vous voyez ce que je veux dire. Lorsqu'il entend les notes merveilleuses, il sourit, bien qu'il soit tellement fati-gué, et puis il dit (maîtrisant son émotion) : "Je sombre." Il se tait quelques secondes et il écoute son propre *Impromptu*. Puis lance d'une voix claire : "Je ne sombre pas, je ne sombre pas, je monte... !"

Alors l'image s'obscurcit et la musique s'achève avec le film. »

Tel est l'instant de poésie absolue que Roger Planchon a fixé de façon ineffaçable dans sa mise en scène. On songe à la tendre réponse du Christ à Julienne de Norwich, la lumineuse mystique du Moyen-Age qui lui confiait ses angoisses devant le Mal du monde : « All shall be well, and all manner of things shall be well. » *Tout sera bien, tu verras, toute manière de choses sera bien.* Il est donc vrai qu'il y a une musique derrière la musique, qui transforme toutes les larmes en joie[3].

3. Admirable est l'équipe entière des comédiens, avec Jackie Berroyez, bien sûr, en tête, qui compose un saisissant Carl Akerbrom, suivi de Bulle Ogier, Judith Henry, Françoise Brion, Roger Planchon, et tous les autres qu'il est injuste de ne pas nommer.

Jean Mambrino

P.S. La place me manque, hélas : je ne puis que souligner ici, faute de place, l'éblouissant spectacle concocté par Adel Hakim, au Théâtre d'Ivry, à partir des *Jumeaux Vénitiens* de Goldoni. Dans une Venise imaginaire, sa jeune troupe bondissante, bourrée de vie et d'insolence, au rythme d'un gag par minute, fait exploser la comédie par la gloire du rire.

Victor Haïm, dans *Jeux de scène* (au Théâtre de l'Œuvre), met face à face Francine Berger et Danièle Lebrun, l'une représentant le théâtre dit d'avant-garde, l'autre le théâtre de divertissement, en un dialogue hilarant, aigu, cruel, libérateur !

Je parlerai la prochaine fois de l'adaptation que Peter Sollars a faite de la si moderne pièce d'Euripide, *Les Enfants d'Héraklès*. Une pure splendeur.

Hommage à André Delvaux

CINÉMA

« Sans doute suis-je seul à pouvoir dire tout haut, pour le temps qui me reste, à quel point est heureuse l'idée des cultures mélangées, et riche le métissage des valeurs qui firent un jour l'unité de ma Cité » : ainsi se termine le discours prononcé par le cinéaste André Delvaux, le 4 octobre dernier à Valence, en Espagne, dans le cadre de la Rencontre mondiale des Arts. A l'issue de celui-ci, André Delvaux était terrassé par une crise cardiaque.

Né en 1926 près de Louvain, André Delvaux fait des études de philologie et de droit tout en étudiant le piano au Conservatoire de Bruxelles. Pianiste accompli, c'est en accompagnant des films muets à la cinémathèque qu'il se prend de passion pour le cinéma : « Murnau, Pabst, Feuillade, Sternberg furent mes passeurs sans parole », aimait-il à rappeler. Professeur de langues au lycée, puis de

« langage cinématographique » à l'INSAS, l'une des principales écoles de cinéma en Europe, il fut un maître pédagogue. Puis le professeur devint réalisateur. D'abord de documentaires pour la télévision : entre autres, un *Federico Fellini* pour la *RTB* (1960). En 1980, il consacre un film à Woody Allen : *To Woody Allen From Europe With Love*. De 1965 à 1988, il tourna huit longs métrages de fiction qui vont l'imposer à l'étranger comme le symbole du cinéma belge. *Rendez-vous à Bray* recevra le Prix Louis Delluc 1972.

Lorsqu'en matière de cinéma on aborde l'univers du Réalisme Magique, il est difficile de ne pas citer le nom d'André Delvaux. Ce courant esthétique, à la fois pictural et littéraire, trouve son origine dans les années vingt en Allemagne, vision idéaliste du monde, tendant à la perception de la réalité au delà de son apparence sensible, dans sa dimension intemporelle. La conception originale qu'en propose Delvaux fait avant tout appel à un certain effet onirique, son esthétique procédant d'une « métaphysique » tout à fait particulière. Car, au travers de cette volonté appuyée de nous présenter sans discrimination deux éléments le plus souvent tenus pour antithétiques, le cinéaste entend bien défendre l'idée d'un monde de nature fondamentalement ambivalente – affirmant même que réel et imaginaire ne sont, à ses yeux, que les deux composantes d'une unique réalité : une réalité « Janus ». Tous les thèmes traités par le réalisateur s'avèrent duels – le réel et l'imaginaire, la passion marquée du double sceau du désir et de la mort, la mémoire et l'oubli, le naturalisme et l'onirisme, le passé et le présent, l'amour et l'au-delà, l'avant et l'après, selon une forme le plus souvent baroque, extrêmement littéraire. Aussi bien le rêve lui permet-il de mettre en scène, par une écriture très condensée, sa réflexion sur le destin, l'interrogation fondamentale de l'homme sur le sens de son existence et la quête d'une transcendance. Tout se passe comme si, au symbolisme décrit par Freud, clef des songes cousue à nos préoccupations, se superposait en transparence un symbolisme d'autre venue, dérivé du mythe, filé comme légende pour grandes personnes.

Les personnages de Delvaux, comme séparés de leur drame, promènent sur l'univers qui les entoure un regard d'étrangers. Ce sont des héros assignés à une frontière, au sens géographique et symbolique du mot ; il arrive qu'ils entreprennent de traverser les apparences ; ils découvrent un espace et un temps suspendus – une sorte de *Urgrund* – qui finissent par leur échapper. Seul, muré dans un silence cloîtré, dissident du réel, hôte de la folie, réfugié dans le passé – mais qui aura le front de soutenir que le souvenir ici est totalement vrai ou faux ? –, le héros s'examine jusqu'au vertige et multiplie son angoisse. Il abhorre la solitude dont il se sent comme pétri, s'agite vainement à l'ombre d'habitudes rassurantes. Il accepte pourtant de se contempler dans le miroir, mi-contraint, mi-fasciné ; le miroir, très souvent, vient à sa rencontre, comme pour lui épargner l'illusion de se croire maître de ses actes dans cette expérience toute neuve. Vient alors au jour un impérieux désir d'iconoclaste : le miroir en miettes, ou l'exil dans les profondeurs intimes, telle paraît être l'alternative. La possibilité de choisir semble vaincue. Et puis, il y a comme une éclipse. L'épreuve débute, hautement ritualisée par le langage, par le rêve qu'elle fait aussitôt se déployer, avec ses moires, ses tremblements, son doute et sa révélation incertaine. L'amour ordonne, avec rigueur, les différents moments de ce combat contre soi-même sous l'œil froid de la mort, thème central. Il s'agit d'un travail de deuil : les films de Delvaux trouvent leur axe dans le rituel qui accompagne la disparition d'un être aimé, que celle-ci soit réelle ou bien seulement supputée. Chaque film tente de briser le miroir, de faire le portrait d'un homme à qui le don échoit, dans une suite d'épisodes obscurs et que la raison n'illumine jamais entièrement, d'entrevoir le texte du monde, et l'Autre Côté.

André Delvaux s'enracine profondément dans la tradition culturelle de son propre pays, qu'il prolonge par son rayonnement international. Artiste d'origine flamande, mais de culture romane aussi bien que germanique, il assume la pluralité culturelle de la Belgique. Ses scénarios puisent en général dans les œuvres des écrivains belges : flamands, tels que Johan Daisne pour *L'Homme au crâne rasé* et pour *Un soir un train*; et francophones, comme Suzanne Lilar pour *Confession anonyme* de laquelle il tire *Benvenuta*, et Marguerite Yourcenar, née à Bruxelles, dont il adapte *L'Œuvre au noir*.

Les mystiques flamands du Moyen-Age imprègnent de même l'œuvre delvalienne, comme Hadewijck d'Anvers, cette mystique aussi brûlante que Thérèse d'Avila, et dont un volume d'*Ecrits* est visible chez la romancière de *Benvenuta*. Quoique agnostique, André Delvaux a conscience de traduire d'une certaine manière l'âme profonde de ces régions brabançonnes où fleurit l'expression mystique d'un Ruysbroeck l'Admirable ou d'un Dieric Bouts qui, au XVe siècle, fut le peintre de la ville de Louvain. *Met Dieric Bouts*, hommage de l'artiste à sa ville natale, est une synthèse renouvelée de diverses techniques du film sur l'art. Les peintres surréalistes belges ont, eux aussi, fortement impressionné sa vision et, de même qu'il est un des auteurs de cinéma les plus littéraires, il est fasciné par Magritte : « Magritte conjugue la représentation académique en trompe-l'œil parfait de la réalité et le fantastique. Je me souviens d'un portrait de jeune fille, très traditionnel : une jeune fille éclairée à la bougie; mais, comme la flamme de la bougie est noire, elle projette non pas de la lumière mais de l'ombre. Admirable. » Dans *Belle*, la scène onirique de l'adieu du père à sa fille nue sur le quai de la gare est une mise en images animée, consciente et voulue, d'un tableau de Paul Delvaux. *Belle* est dite belle comme une femme de Rubens. Les dialogues de Jeanne et François dans *Benvenuta* se font plus d'une fois devant un Ensor. *Babel Opera* se termine sur la « Tour de Babel » de Breughel, surimpressionnée des lumières de l'Opéra du Théâtre Royal de la Monnaie à Bruxelles.

Quant à l'histoire de nos régions, elle s'inscrit particulièrement dans *Femme entre chien et loup*. Entre 1940 et 1945, une femme est écartelée entre son mari collaborateur et flamand, et son amant français et résistant. Au delà de l'incidence de l'occupation allemande sur les mouvements nationalistes flamands, le cinéaste expose les raisons profondes du chagrin des Belges. L'épineuse question linguistique, qui déchire le pays, s'énonce dans *Un soir un train,* où l'on voit des flamingants manifester pour expurger Louvain de ses francophones.

Le créateur a toujours refusé d'aller tourner ailleurs : « Je veux rester dans mon pays. » Sa caméra explore l'Escaut et les rues de ses bourgades dans *L'Homme au crâne rasé*, Louvain et ses chemins sablonneux dans *Un soir un train,* Spa et les Hautes Fagnes dans *Belle*, le Brabant, ses champs, ses marchés dans *Met Dieric Bouts,* un quartier d'Anvers et ses jardins dans *Femme entre chien et loup,* le Canal de Gand et ses maisons de maître dans *Benvenuta*, les quatre coins de la Belgique dans *Babel Opera* (Bruxelles, Anvers, Malines, Liège, le Brabant, les Fagnes, et tous leurs dialectes et patois), Bruges dans *L'Œuvre au noir,* la mer du Nord...

« J'aime la terre où je vis, déclare le réalisateur lorsqu'il reçoit, en 1995, les insignes de docteur *honoris causa* de l'université de Nancy. J'habite sur la frontière linguistique au sud de Bruxelles, un pied en culture flamande, l'autre en francophonie. En moi les deux cultures coexistent. Jamais l'une n'est tenue de le céder à l'autre. De leur pleine rugosité naît la richesse possible de l'œuvre : nord et sud, germanité et romanité, mysticisme et réalisme. Ce pays de l'entre-deux, qui ne réussit à recouvrer son unité que dans le langage de l'art : dans l'œuvre, c'est le pays où je vis. »

André Delvaux, ou les visages de l'imaginaire ; André Delvaux, grand imagier de ce temps ; André Delvaux, l'artiste rôdeur de confins.

MICHÈLE LEVAUX

Deux ans après

de Agnès VARDA

COMME le titre l'indique, ce petit documentaire (65 minutes) est la suite ou, plus exactement, le prolongement du précédent film de Agnès Varda, *Les Glaneurs et la glaneuse,* qui avait remporté, à juste titre, un très beau succès en l'an 2000. Si la sortie de ce nouveau film n'est, à ce jour, pas encore confirmée, les mieux équipés d'entre nous peuvent dès maintenant le découvrir dans un format DVD, en « bonus » précisément des *Glaneurs et de la glaneuse*.

A la manière du premier épisode, *Deux ans après* fourmille d'anecdotes truculentes, enchaîne les digressions les plus cocasses, en un mot passe du coq à l'âne et d'un point de vue à l'autre avec beaucoup d'aisance et de sensibilité. Deux idées fortes sous-tendent néanmoins ce *patchwork*, en forme de « marabout-bout-de-ficelle », de notre glaneuse d'images : il s'agit, d'une part, de retrouver certains glaneurs qu'elle avait suivis autrefois pour voir ce qu'ils sont devenus et, d'autre part, de rencontrer quelques-uns des admirateurs qui lui ont adressé d'innombrables courriers et objets en tous genres, glanés par-ci par-là depuis des lustres, en guise de remerciements pour ce premier documentaire.

  Deux ans après n'ayant pas tout à fait le souffle originel des *Glaneurs et de la glaneuse*, les spectateurs les plus médisants ne manqueront pas de dire que la réalisatrice de *La Pointe courte* et de *Cléo de cinq à sept* s'est légèrement servie d'un succès assez inespéré pour en faire un petit fonds de commerce ! Si cette pensée peut traverser un instant l'esprit, elle s'évanouit dès les premières images grâce à l'humour et à l'imagination de la cinéaste. Ainsi l'un des héros du premier documentaire, qui continue à se nourrir de ce qu'il récupère dans les cagettes abandonnées sur le marché de la place Edgar-Quinet, avoue-t-il sans gêne à Agnès Varda qu'il a bien aimé son film, mais qu'il juge assez inutile et déplacée la présence de la réalisatrice, qui (pour mémoire) y filmait ses cheveux blancs et ses mains usées par les années... Au delà de cette autodérision, la cinéaste rebondit allégrement sur ces images d'hier en suivant, dans la foulée, le marathon de cet homme hors du commun, ravi d'avaler une platée de pâtes offerte par la Mairie de Paris avant la course, ou bien en filmant les nombreux glaneurs qui ramassent les pulls délaissés par les marathoniens juste après le départ !...

  Mais Agnès Varda nous enchante tout autant lorsqu'elle va spontanément à la rencontre de glaneurs anonymes qui lui ont écrit après son premier documentaire : on se souviendra ainsi de la visite de la cinéaste à ce couple de charcutiers (Josette et Roger, dont les prénoms, selon ce dernier, les prédestinaient à être médailles d'or de la rosette...), émus jusqu'aux larmes à cause d'une carotte en forme de cœur envoyée par leur fils à la réalisatrice ! On se souviendra également de ce collectionneur de boutons (de chemise, de veste ou de pantalon), au « troupeau » de boutons considérable et à la folie délicieusement douce !

  L'heure passe à toute allure, l'émotion mouille un peu nos yeux, et l'on comprend alors, peu à peu, que ces anecdotes en pagaille ne sont pas aussi légères qu'il y paraît : à l'image de ce dernier plan magnifique sur une pomme de terre en forme de cœur, dont la peau flétrie ressemble comme deux gouttes d'eau à celle d'une main fatiguée par le temps, on se dit que la cinéaste capte, sans en avoir l'air, un petit bout de la fuite du temps et esquisse, sans le savoir, quelques-uns de nos traits... deux ans après !

XAVIER LARDOUX

Japón
de Carlos REYGADAS

LE PREMIER film du Mexicain Carlos Reygadas n'a rapporté qu'une mention du jury de la Quinzaine des réalisateurs lors du dernier festival de Cannes. C'est que, si l'on accepte pour la bonne cause de s'ennuyer devant le statisme de grands maîtres dont le principal mérite est d'être toujours vivants (que l'on songe à l'accueil unanime fait au dernier film de Manoel de Oliveira), on a tendance à ne rien pardonner aux jeunes réalisateurs exhibant trop ostensiblement leurs ambitions formelles. En allant voir *Japón*, on fera bien de contourner ses références visuelles et scénaristiques à Andreï Tarkovski et l'omniprésence de *La Passion selon saint Matthieu* de Bach, non parce que ces œuvres ne seraient point belles, mais parce que, mille fois recyclées ailleurs, elles risqueraient de faire croire à un film d'école boursouflé. Or, pour peu que l'on entre dans son rythme – lent –, que l'on s'installe dans le malaise qu'il restitue, ce film est une expérience d'une force rare.

Un homme d'une cinquantaine d'années sort de la ville en voiture et s'enfonce vers des contrées de plus en plus montagneuses et de moins en moins peuplées ; on le prend d'abord pour un chasseur, car il en côtoie sur son chemin ; mais c'est en répondant à une question anodine – « Pourquoi allez-vous à Aya ? » – qu'il donnera la raison de son voyage : pour y mourir, de ses propres mains. Cette réponse abrupte, on aurait pu, se dit-on rétrospectivement, la deviner, tant les rencontres faites en chemin composent des tableaux de chair fraîchement tranchée (dans un gîte d'étape, l'hôte insulte son cochon récalcitrant et se présente, les mains sanglantes). Après vingt minutes, nous voici donc en route, quelques natures mortes sanguinolentes en mémoire, vers un lieu et un dessein des plus macabres. Mais le candidat au suicide avait compté sans la puissance du lieu vers lequel il se dirige : une montagne où vivent encore quelques villageois, ouvriers d'une carrière ou personnes âgées haut perchées. Lorsque notre homme trouve logement dans la maison la moins accessible du cru, chez la doyenne Ascen (Ascension, hauteurs obligent !), l'humanité taciturne mais têtue de la vieille femme va lui ôter peu à peu son projet de la tête. Nous ne sommes même pas sûrs – et c'est là le travail patient du film – qu'il revienne sur sa décision, mais du moins se laisse-t-il vivre, l'espace de quelques jours, et ce, dans les deux sens du terme : il se donne un sursis de vie, et il s'autorise quelques joies bien terrestres qu'il pensait ne plus pouvoir goûter, de l'alcool de cactus à l'observation d'un groupe d'enfants hilares devant un accouplement de chevaux. Les corps en putréfaction et les symboles du renouvellement du cycle vital se mélangent alors, jusque dans le puissant désir que l'homme ressent pour Ascen, par delà son corps décrépit. Alliant délibérément des « contraires » – le désir sexuel de l'homme qui prend le dessus sur son désir de mort, mais aussi la nature dans sa crudité et les multiples références culturelles –, *Japón*, film en cinémascope, bien sûr, à la mesure des paysages et des sentiments qu'il embrasse, ouvre la saison cinématographique avec un souffle qui emporte et digère tout sur son passage, y compris ses propres excès ; bref : sans retenue ni modestie.

CHARLOTTE GARSON

Cavale

de Lucas BELVAUX

CAVALE, qui sort au tout début de ce mois de janvier, est le premier volet d'une trilogie très attendue, tant le projet, particulièrement difficile à financer, était ambitieux. Rappelant en effet le principe de *Smoking* et de *No smoking* de Alain Resnais, l'idée de Lucas Belvaux était de créer, avec des décors, des séquences et des personnages communs, trois films correspondant à des genres différents : un film policier sur fond d'intrigue politique, une comédie et un mélodrame. La réussite de *Pour rire !* en 1996 (avec Ornella Muti et Jean-Pierre Léaud) laissait en outre auguer du meilleur pour le triptyque de ce jeune cinéaste qui fit ses débuts comme comédien dans les films de Chabrol (*Madame Bovary* et *Poulet au vinaigre*).

Cavale n'est malheureusement pas à la hauteur de ces espérances : après quinze années passées à la prison de la Santé, Bruno (Lucas Belvaux en personne), bras armé de la révolution prolétarienne, s'évade avec la complicité d'un ancien camarade qui y laissera sa peau. Le film tout entier raconte ainsi la survie d'un homme terré dans un garage, dont l'unique but est de lutter à nouveau, plus que jamais, contre une société haïssable et de libérer les masses d'un joug politique sans nom. Bruno, enfermé dans une folie mortifère, bute alors contre ses anciens complices, dont la vie a bien changé en quinze ans. Jeanne notamment (Catherine Frot), son ancienne compagne, s'est mariée et a un enfant : elle a tiré un trait sur cette vie d'angoisse et ne croit plus aux idéaux qu'elle défendait autrefois. Bruno a beau rencontrer Agnès (Dominique Blanc), la femme d'un flic rongée par la drogue, qui devient une alliée de circonstance, sa cavale, comme on pouvait s'y attendre, terminera en eau de boudin dans une crevasse en montagne... Si cette fin fait songer à une mauvaise chute de court métrage, le film manque surtout cruellement de dialogues, de rythme et de tension. Jamais le héros ne parvient à nous toucher, car son mobile politique ressemble davantage à une ficelle de scénario qu'à un engagement véritable. Ainsi, on se dit que *Cavale* aurait gagné à se débarrasser de cet argument peu convaincant et à montrer, au contraire, à l'instar de *Roberto Succo* de Cédric Kahn (2001), la volonté de survie et la folie quasi bestiale d'un homme désespéré. Lâchement, je laisse donc aux curieux le soin d'aller voir les deux autres volets, qui sortiront sur les écrans dans le courant du mois de janvier...

Xavier Lardoux

TÉLÉVISION

Télérama : enquêtes et discours « branchés »

Qu'un journal ait ses opinions, rien de plus naturel ; qu'il les cache derrière sophismes et truismes pour se donner une apparence « hors de la mêlée » de bon ton, voilà qui est difficilement recevable. *Télérama,* hélas, n'échappe guère à ce genre de pratique. Seul magazine de télévision de son espèce à prolonger la programmation de la semaine et à ouvrir sans limite ses colonnes, il multiplie analyses, débats, enquêtes. Ainsi, ces dernières semaines, a-t-on pu y lire, par exemple, une « enquête » (*sic*) intitulée « *France 2* privatisé : et si c'était vrai... », rédigée comme une chronologie de politique-fiction d'épouvante qui accumule les clichés simplistes et corporatistes (n° 2750, semaine du 28 septembre au 4 octobre 2002). Ou encore un « débat » (*sic*) consacré aux « nouveaux réactionnaires », dénoncés dans un livre récent, et qui, sous couvert d'une introduction très neutre et dégagée – « Polémique dans le milieu intellectuel français... » –, ne se prive pas de proférer à son tour ses réquisitoires (n° 2758, semaine du 23 au 29 novembre). Grande enquête également à propos de la pornographie à la télévision, dans le numéro de la semaine du 9 au 15 novembre (cela ne date déjà plus d'aujourd'hui, mais le sujet mérite que l'on s'y arrête). Grave sujet, toujours d'actualité ; gardons en mémoire un principe énoncé par le rapport Kriegel remis au Ministre de la Culture : « En cas de heurt perpendiculaire entre la liberté d'un adulte et la protection d'un enfant mineur, c'est la protection de l'enfant qui doit l'emporter. »

La Rédaction présente ce travail dans une introduction apaisée, traitant tout de même au passage Dominique Baudis, patron du CSA et adversaire déclaré de la pornographie à la télévision, d'« Attila du PAF »... Vieille technique, consistant à mettre de son côté les rigolards et les « branchés », avec un jeu de mots crypté *soft*. A part cela, l'introduction est très neutre et objective, du genre : « On en parle beaucoup, alors la Rédaction a voulu enquêter sur le sujet. » Et elle s'achève ainsi : « Nous avons choisi de ne pas nous engager dans une croisade, mais plutôt de vérifier concrètement cinq arguments [...] qui passent pour des vérités. »

Les Carnets d'Études

111

Voici les « cinq idées dans l'air » qui sont alors commentées par *Télérama* :

1) « *Beaucoup d'enfants regardent les films pornos à la télévision.* » En substance, voici l'argumentaire : aucune étude sérieuse n'a été faite ; tout ce que l'on sait, c'est que, depuis les dix-huit derniers mois, dans les foyers abonnés à *Canal+*, 11,5 % des enfants de 4 à 11 ans ont été en contact au moins une minute avec un film pornographique, et la moitié de ceux-ci pendant au moins vingt minutes. Soucieuse de minorer l'impact de ces chiffres (mais, au fond, pourquoi ce souci ?), la Rédaction considère-t-elle, sans oser l'écrire, que cela n'est pas vraiment préoccupant ? Mais alors, pourquoi y consacrer sa couverture ? *Télérama* ajoute : « C'est-à-dire qu'ils étaient présents dans la pièce où le téléviseur diffusait ce film »... Charmante litote. Et puis, de toute façon, conclut notre hebdomadaire, les magnétoscopes et les outils d'internet sont passés largement entre les mains des jeunes – feignant de croire que la télévision n'est pas le vecteur principal, sinon unique, de la pornographie dans les foyers.

2) « *Les films pornos nuisent gravement aux mineurs.* » Là aussi, aucune étude sérieuse n'a été menée, prévient *Télérama*. On ne peut donc rien dire. En revanche, un psychanalyste interrogé déplace le problème : « Ce qui peut être traumatisant, c'est une absence de réponse et un refus de dialogue. » Autrement dit, c'est aux parents qu'incombe la responsabilité : avec une bonne dose de dialogue, tout va bien, et seuls les mauvais parents seront coupables des troubles psychologiques de leur progéniture ! Et pour finir le paragraphe, ce fin thérapeute balaye tout risque dans la sexualité des adolescents : « Le plus souvent, l'épreuve de la réalité va bien se passer et remettre les choses à leur place, en compensant les effets des images. » Nous voici rassurés. Comme le précise *Télérama*, ce sont des propos qui « tempèrent » utilement le débat...

3) « *Les films X donnent une mauvaise image de la femme.* » La Rédaction, en adhérant aux propos d'une juriste chercheur au CNRS, est ici assez concise : en substance, il est « humiliant et infantilisant » de considérer que les femmes soient incapables d'aimer le sexe sans amour, à l'instar des hommes. La mauvaise image de la femme dans les films pornos ne heurtera donc que les machos qui, de toute façon, avaient déjà une mauvaise image de la femme... Il fallait y penser ! En outre, *Télérama* constate la pauvreté des *scenarii*, trop marqués par ce machisme masculin, les « productions féminines [demeurant] très marginales ». Ah ! si les femmes faisaient du porno, ce serait tellement mieux...

4) « *Interdire le porno n'est pas une question d'ordre moral, mais une mesure de protection de l'enfance.* » Ici, notre hebdomadaire pose d'emblée le problème : la vraie raison de cette interdiction est bassement matérielle, car elle est techniquement possible. De là à penser que les tenants de l'interdiction soient de mèche avec les fabricants de crypteurs, il n'y a qu'un pas... Et puis, cela cadre bien avec la

TÉLÉVISION

droite au pouvoir, susurre *Télérama*, introduisant ici, subrepticement, la politique la plus réductrice dans le débat. Le paragraphe enchaîne sur le retour du tabou et du refoulement sexuel, masqué derrière l'interdiction « cynique et marchande ». Pour finir, ce n'est pas l'Etat qui doit promouvoir l'interdiction, c'est plutôt la société civile qui doit prendre elle-même les choses en main (une sociologue interrogée évoque le boycott et l'autodafé populaires). C'est donc moins d'État qu'il nous faut ? Finement libertin et « branché », *Télérama* verserait-il dans le libéralisme dérégulateur ?

5) « *En supprimant les films X à la télé, on se débarrasse de la pornographie.* » Le paragraphe consacré à ce lieu commun est bref, sans appel, car le constat est désolé : la pornographie est déjà partout (publicités, magazines, télévision grand public). Rendez-vous, toute résistance est inutile...

Ce travail d'enquête nous est présenté comme neutre et désamorcé. Soit. Mais livrons-nous à un petit jeu : reprenons les cinq déclarations « en l'air » qui structurent ce papier, et inversons-les sémantiquement. Après tout, pourquoi pas ? Ces assertions n'appartiennent à personne et, au comptoir du Café du Commerce, ce genre de sentences définitives se retourne allégrement comme un gant... Nous aurions alors, pure hypothèse gratuite, les phrases suivantes, qui auraient été soumises au travail analytique de la Rédaction :

1) « Peu d'enfants regardent les films pornos à la télévision. »

2) « Les films pornos ne nuisent pas gravement aux mineurs. »

3) « Les films X ne donnent pas une mauvaise image de la femme. »

4) « Interdire le porno n'est pas une mesure de protection de l'enfance, mais une question d'ordre moral. »

5) « En supprimant les films X à la télé, on ne se débarrasse pas de la pornographie. »

Bref, on aurait simplement présenté dans ce débat public le « côté pile » à la place du « côté face » des banalités dénoncées par *Télérama*. Oui, sauf que notre magazine n'aurait pu ici se donner le beau rôle de contradicteur et d'éclaireur de la pensée. Faire entendre au lecteur « un autre son de cloche » n'aurait plus été possible. L'esquive élégante et le pas de côté subtil qu'il affectionne n'auraient plus eu leur place. Pire, la défense de « valeurs » démodées et ringardes lui aurait été prescrite... C'eût été trop ! Car si *Télérama* veut se donner l'apparence rassembleuse d'un journal attentif d'écoute et de modération – pour preuve la couverture saisissante qui saute littéralement aux yeux, titrant sobrement : « Porno à la télé – L'interdire ou pas ? » –, il n'en défend pas moins, avec toutes ces ficelles, ses opinions très libérales sur le sujet, et sa couverture aurait dû être : « Porno à la télé - Ne pas l'interdire ! » Mais ils n'ont pas osé... Décidément, l'image avant tout !

Brice Leboucq

Un graduel pour la Noël et le 1er janvier : *Viderunt omnes*, de Maître Pérotin [1]

Pour une oreille plus habituée à la musique contemporaine qu'aux musiques du passé, le début de *Viderunt omnes*, dans la version de « The Hilliard Ensemble », semble évoquer quelque musique minimale, répétitive, à l'américaine. Il y a cette impression d'une tonalité à la fois familière et étrangère, loin des modulations de la musique tonale classique et fonctionnelle, ce côté obsédant du mètre trochaïque (longue-brève) et d'une mesure ternaire à quatre temps, cette formule mélodique et rythmique qui varie, se transforme, reprend sans cesse, et finit par emplir, dans l'avancée de son processus, temps et espace... Pourtant, ces premiers instants rappellent aussi quelque musique spectrale. Il y a cette sensation d'un temps très allongé, cette attaque du premier accord dans l'éblouissement de la fusion des harmoniques naturels, ces longues tenues qui laissent rayonner une à une la couleur des voyelles... De quel lieu, de quel âge témoigne cette polyphonie de voix d'hommes plutôt élevées, un peu tendues, très liées, si intemporelles ?... Au bout d'une minute et demie, une troisième syllabe vient enfin compléter le premier mot : c'est un verbe qui est au commencement et cette langue est du latin. Après trois minutes et cinquante secondes, une phrase à l'unisson amorce des mélismes grégoriens : la référence au Moyen Age s'impose.

Cette œuvre a environ mille ans. C'est un graduel [2] pour la fête de la Nativité du Seigneur (messe du jour) et la fête de la Circoncision du Seigneur (septième jour après Noël), écrit à quatre voix dans le style de l'organum. Il se trouve dans le *Magnus liber organi*, le grand livre de la cathédrale Notre-Dame de Paris, actuellement conservé à Florence, sans mention d'auteur. Le traité *De mensuris et discantu*, rédigé entre 1270 et 1280 par un musicien anglais anonyme qui résida à Paris, cite ce graduel et en précise le compositeur : « Maître Pérotin écrivit d'excellentes compositions à quatre voix, comme *Viderunt omnes*, contenant une grande quantité de figures rhétoriques musicales [...].» Une lettre de l'évêque Eudes de Sully, *Contra facientes festum fatuorum*, datée probablement de fin 1198, permet de situer sa composition vers cette période ; après avoir dénoncé les abus commis lors des fêtes de Noël, elle propose entre autres que le répons, c'est-à-dire le graduel, et l'Alléluia de la messe soient chantés sous forme d'organum à deux, trois ou quatre voix.

Viderunt omnes est sans doute la première œuvre de la tradition musicale occidentale écrite à quatre voix, remarquable pour cette raison et pour la qualité de son écriture dès cette époque. Peut-on oser une comparaison avec l'architecture de Notre-Dame de Paris ? A la fin du XIIe siècle, son élévation comprenait quatre niveaux, de grandes arcades reposant sur des piliers cylindriques, de vastes tribunes, des roses non vitrées aérant les combles et dont les

1. PÉROTIN, *Viderunt omnes*. The Hilliard Ensemble. ECM New Series 1385 837 751-2.

2. Le (psaume) graduel est un psaume chanté après l'épître sur les marches (*gradus*) devant l'autel. Le psaume est réduit à quelques versets sous la forme d'un répons : refrain (*responsa*), *versus* réservé à des solistes, et reprise du refrain (supprimée au XIIe siècle).

114

meneaux adoptaient la forme d'une simple croix, et de petites fenêtres hautes à une seule lancette. L'unique comparaison avec des étages statiques ne rend pas suffisamment justice au travail si original d'imitation, de répétition et d'échange – figures rhétoriques – des trois voix supérieures par lequel Pérotin ouvre le chemin qui conduit à Bach. Le lien entre l'acoustique des églises et la musique a aussi été souvent souligné : si le chant grégorien convenait particulièrement à l'acoustique des sanctuaires romans, dans les formes de polyphonie organisées du XIIe siècle, le ralentissement du débit du chant grégorien à la voix principale et l'ajout d'une ou deux voix supplémentaires plus mobiles correspondaient à une adaptation du répertoire au volume plus grand des édifices du gothique naissant. Les quatre voix de *Viderunt omnes* sont-elles le mode particulier de se mettre au diapason de l'acoustique singulière de Notre-Dame, ou simplement la façon de solenniser davantage la fête la plus populaire d'un lieu prestigieux ? Même si la cathédrale était assez sombre, ne faut-il pas considérer cette voix quatrième et nouvelle comme un éclat supplémentaire, une splendeur accrue, une illumination de surcroît en des temps où l'idée de la beauté était polarisée par celle de la lumière ?

L'écriture « à quatre voix » a une place particulière dans la conscience musicale de l'Occident. C'est dans *Viderunt omnes* qu'elle apparaît pour la première fois avec l'évidence d'un chef-d'œuvre. Les voix sont égales, de même tessiture. S'il fallait chercher un pendant à cet événement dans l'histoire de la musique, ce serait l'avènement du quatuor à cordes classique où, abandonnant la basse continue du baroque – lointain avatar du *cantus firmus* grégorien –, quatre instruments dialoguent et conversent à égalité. Aussi l'enregistrement de *Viderunt omnes* par un quatuor à cordes, en l'occurrence le « Kronos Quartet[3] », est-il tout à la fois anachronique et symbolique. En tout cas, il est aussi la preuve que cette musique, transposée dans un lieu dissemblable, dans une tonalité autre, dans un espace musical différent, est encore capable de parler sans les mots qu'elle portait, par la seule puissance de son écriture.

Les deux premiers mots, *Viderunt omnes*, sont entonnés et ornés par les solistes, comme l'enluminure de la lettre initiale d'un manuscrit. Le premier accord avec ses quinte, quarte et octave sur *Vi-* produit une sonorité un peu « creuse ». Alors qu'une voix, appelée teneur, tient très longuement la première note de la mélodie grégorienne – selon le principe même de l'organum –, les voix deuxième, troisième et quatrième (*duplum, triplum, quadruplum*) « donnent une impression d'allégresse carillonnante[4] » : la dissonance d'une septième majeure se résout sur la consonance de l'octave, et ainsi de nombreuses fois en suivant. Cette section se termine sur le même accord qu'au début en enchaînant avec *-de-*. La teneur prolonge semblablement la deuxième note de la mélodie ; les autres voix utilisent d'autres motifs, bientôt entrecoupés par des silences qui permettent à une voix de se faire entendre quand l'autre se tait, selon l'effet du

3. *Early Music (Lachrymae Antiquae)*. Kronos Quartet. Nonesuch Records 79457-2.

4. R. Blanchard, « Pérotin », in : *Encyclopaedia Universalis*, Corpus 17, Paris, 1996, p. 874-876.

« hoquet ». Sur *-runt*, l'effet d'un accord dissonant se résolvant sur un accord consonant, donne une impression assez moderne de cadence ; le jeu d'imitation des voix est très apparent au début, et la teneur enchaîne très lentement deux notes de la mélodie sur cette même syllabe, passant progressivement au milieu des autres voix. Sur la première syllabe de *omnes*, la mélodie grégorienne originale faisait un dessin mélodique de plusieurs notes : la teneur ne ralentit pas chaque note de ce mélisme autant qu'elle l'a fait précédemment, mais les enchaîne plus rapidement en les rythmant. Cette section, appelée *clausula,* est très clairement dans un autre style, plus rapide, celui du déchant (où excellait Pérotin). La fin de la phrase, *fines terrae salutare Dei nostri : jubilate Deo omnis terra*, est continuée par le chœur à l'unisson dans le débit normal du plain-chant pur : elle devait être chantée par le chœur des chanoines renforcé par des voix d'enfants, dont la masse importante contrastait avec la ténuité des voix solistes (mais aucun enregistrement ne restitue cet effet). Ensuite, presque tout le verset est pris en charge par les solistes de la même manière : *Notum fecit Dominus salutare suum ; ante conspectum gentium revelavit.* Ils terminent par deux clausules dans le style plus animé du déchant, d'où le sentiment « que l'édifice s'ébranle », d'« une sorte de crescendo dynamique qui amène une conclusion enthousiaste [5] ». Les deux derniers mots, *justitiam suam*, sont chantés alors par le chœur à l'unisson : par symétrie par rapport aux deux premiers mots du début ?

L'alternance des solistes chantant en polyphonie et du chœur continuant à l'unisson est exactement la même dans un autre organum de Pérotin, *Sederunt*, basé sur les versets d'un autre psaume. Pourtant, dans *Viderunt omnes* se manifeste une adéquation plus significative entre le contenu du texte et le début de la mise en œuvre musicale. Un champ sémantique privilégié semble être celui de la vision associée à la reconnaissance [6] : *Viderunt/Notum fecit/in conspectu/revelavit*. Or ce n'est qu'après plus d'une minute que les trois syllabes de *Viderunt* sont énoncées [7], que le mot est aperçu dans toute son étendue par la vue de l'esprit, que le sens en est dévoilé et reconnu par la mémoire [8] : n'est-ce pas là un processus de révélation ? La conscience comprend *a posteriori* qu'au commencement était le verbe *Viderunt*... Dans le même temps, les mots sont tellement distendus que les paroles sont à peine saisissables. Avant que le texte n'invite toute la terre à la jubilation, la musique jubile déjà au sens augustinien. Pour l'évêque d'Hippone, en effet, jubiler c'est être rempli d'une joie telle que les paroles ne peuvent plus l'exprimer et que le cœur s'épanche en cris inarticulés : « Que l'immense étendue de votre allégresse ne se renferme point dans les bornes de quelques syllabes [9]. »

VINCENT DECLEIRE

5. R. Blanchard, *op. cit.*

6. La traduction mot à mot des trois versets du *Ps* 97 chantés ici donnerait : « Ont vu tous les confins de la terre le Sauveur [promis par] notre Dieu : jubilez pour Dieu, toute la terre. Reconnu a fait le Seigneur son Sauveur : dans le champ de vision des peuples, Il a révélé sa justice. »

7. C'est à ce moment précis que, dans une autre version, plus ancienne, profitant d'une respiration après la troisième syllabe de *Viderunt*, Alfred Deller choisit de faire entrer des instruments doublant les parties des voix à l'octave supérieure, comme s'il fallait attendre que le premier mot soit énoncé et compris. Cf. Guillaume de Machaut, *Notre Dame Mass. And Other Sacred Music of Medieval France*. Alfred Deller *et alii*. Vanguard Classics OVC 8107.

8. Cf. l'analyse du temps à partir du premier vers de l'hymne *Deus creator omnium* dans les *Confessions* de saint Augustin (livre XI, chapitres XXV-XXVIII).

9. *In* « Deuxième discours sur le Psaume XXXII ». Voir aussi le chapitre « Jubiler » dans *Saint Augustin et les actes de parole* de Jean-Louis Chrétien (PUF, 2002, p. 261-266).

Leçons de ténèbres*

* Pascal QUIGNARD, *Dernier royaume*. T. I : *Les Ombres errantes*. T. II : *Sur le jadis*. T. III : *Abîmes*. Grasset, 2002.

« Où s'est perdu le perdu ?
Où s'est perdu le perdu, là est situé le dernier royaume »
(1, p. 20-21)

ECRIRE ne réconcilie pas ; avive la plaie d'être. La quête mène toujours plus avant, bien au delà de tout présent. Dans un passé duquel nous fûmes toujours déjà exclus. Rien ne sera conservé dans la mince pellicule du maintenant que les mots s'efforcent à dire et à illusoirement entretenir. Le texte se défait en laisses, liasses, pages et paragraphes dont la « cohérence aventureuse » ne saurait se satisfaire des signes de reconnaissance extérieurs offerts par la publication. Ces trois volumes ne sont que la fine pointe d'une longue aventure d'écriture et les premiers d'une dernière série dont la fin ne saurait être anticipée. Vouloir rejoindre l'origine, c'est d'emblée savoir que jamais nous ne pourrons coïncider avec elle. C'est dans ce plus petit abîme (« le plus difficile à franchir » – Nietzsche) que prolifèrent contes, récits, rêves, lectures, nostalgies, terreurs... « La main qui écrit est comme la main qu'affole la tempête. Il faut jeter la cargaison à la mer quand la barque coule » (1, 103).

Jetée à la mer, la cargaison n'a cependant pas pour mission de délivrer les messages qu'une foi ancienne, encore ancrée au cœur des hommes les plus actuels, pourrait laisser espérer. Plus que jamais, Pascal Quignard se sait « dans l'angle », « en dissidence », comme Saint-Cyran qui « évoque la vanité des livres qui ne sont que des livres, des dieux qui ne sont que des fantasmes, des idées qui ne sont que des désirs » (1, 121). Le passé dévore, l'avenir inquiète, le présent révolte : il n'est pas de temps où conjuguer nos déconvenues. Pas de lieu où espérer trouver asile. Désolation et consolation se confondent dans une solitude qui apparaît de plus en plus comme le luxe réservé à ceux qui auront eu la témérité de refuser le « happy end » promis de tous côtés. Les temps de Néron ou ceux d'une mondialisation « démocratiquement » orchestrée peuvent échanger leurs triomphes sur la scène d'une histoire qui n'aura perduré qu'à oublier « les absents sans retour » (2, 17) et célébrer les bourreaux.

Rien, chez Pascal Quignard, de la démarche de l'écrevisse ! S'il regarde vers le passé, c'est en quête d'un « jadis » plus ancien que toute histoire. « Il faut opposer les joies et les bonheurs. Au passé le bonheur ; au jadis la joie » (2, 70). « Joie arbitraire et foudroyante » du mélancolique qui, penché sur de si anciennes pages, jubile à y reconnaître « l'issue sans issue du temps » (2, 66). Fécondité cachée dans les décombres de l'histoire ; œuvres qui n'auront pu trouver à se faire entendre, tant l'histoire triomphante bouche tout accès à l'inédit qui aurait pu avoir lieu. La tradition n'est pas repaire de bonnes références à user en stratège afin de faire valoir ses reliquats dans un présent incapable de les porter, mais « épiphanie du jadis » (2, 73). Mettons-nous à l'écoute des Indiens Sioux qui disaient splendidement : « Nous aimons cette terre comme le nouveau-né aime le battement du cœur de sa mère » (2, 103). Attentifs au pouls de celle dont nous fûmes les contemporains, c'est au plus ancien que nous sommes renvoyés, à des battements antérieurs, à des rythmes prénataux. L'art prend ses racines dans ces régions où naître « n'a pas fini de surgir ». Nietzsche disait qu'il n'y a pas d'histoire, rien que des commencements ! Commencements dont nous ne fûmes pas les contemporains et qui ne cessent de nous hanter lorsque, par l'écriture, dans la lecture, nous touchons à « l'inorienté » où l'origine s'affole. « Une autre fois le visage erre dans les générations des hommes » (2, 199). Dans le visage, c'est la trace d'un autrefois, l'antériorité inaccessible d'un jadis qui apparaît et sombre. Ecrire n'aura jamais eu pour sens que tenter de réduire l'écart qui nous sépare pour toujours de cette antériorité. Folle tentative, tentation insensée, qui va à contre-sens, mais que « les êtres affectés de naissance » (2, 226) ne peuvent qu'éperdument rechercher. Comme Vermeer qui aurait déposé en silence des « gouttes de jadis au sein du passé » (2, 253), P. Quignard distille à tue-tête, en ses courtes proses, cette quête d'une antériorité plus ancienne que tout souvenir. Voix ensevelies sous les décombres de l'Histoire qui range, classe, flétrit, fait taire, comptabilise, et que l'art seul permet encore de ranimer, d'entendre.

Ressusciter, souffler sur des braises apparemment éteintes sous les cendres du passé, faire revivre un instant des figures oubliées, quasi déjà perdues, semble être la vocation passionnée de l'auteur. Voix tues qui disent à nouveau l'inédit qu'elles balbutièrent. Dans le portrait de Lucius Annaeus Seneca (Sénèque le Père), auquel le chapitre LXXXVIII (« Un ami de mille ans ») est consacré, il écrit ces phrases qui pourraient fort bien s'appliquer à sa manière : « A chaque phrase qu'il perçoit, l'esprit doit repartir de zéro et jouir d'une signification que non seulement rien ne prépare mais que rien ne vient assouvir en lui succédant ou bien en l'achevant » (2, 267). Le présent de l'écriture déchire les chronologies, désoriente les directions, bée dans l'abîme entre jadis et futur. « Je pose que le temps n'a pas trois dimensions. Il n'est que ce battement, ce va-et-vient. Il n'est que ce déchirement inorienté » (3, 28). Il n'y a qu'afflux, grouillement chaotique, auquel historiens ou philosophes ont toujours cherché à donner sens (direction et signification), afin de s'en protéger. La véritable lucidité consisterait à explorer en tous sens, dans toutes ses strates, étagements, sans souci des mises en perspective ou en coupes réglées, cette matière proliférante. Travail d'antiquaire préféré à celui de l'historien ! « Il s'agit de mettre en valeur les anecdotiers et la récolte qu'ils font des faits divers pour les opposer au camouflage et à la *Propaganda* » (3, 34). Travail de chiffonnier dont Walter Benjamin aura su exalter la figure à venir. Rognures, détritus, restes, tessons, fragments insolites, énigmes,

118

LIVRES

vieilles légendes, vieux contes, listes incongrues de préférences ou de détestations, voyages à travers temps et espaces, langues et traditions, détails, distraient d'ensemble perdus à jamais... poussières du temps lu, vu, vécu, rêvé. Recréé. « Qu'on n'oublie pas que je ne dis rien qui soit sûr. Je laisse la langue où je suis né avancer ses vestiges et ces derniers se mêlent aux lectures et aux rêves » (3, 108).

Plus encore que dans les huit volumes des *Petits traités*, Pascal Quignard a entrepris ici de confondre tous les genres, de les exploiter tous et de les fracasser de l'intérieur. Les 241 chapitres qui composent ces trois premières livraisons forment comme une espèce d'encyclopédie fragmentaire qui déroule plus qu'elle n'enroule, brasse et déballe, explore avec obstination les zones sans orient de l'histoire. Déborde l'histoire vers le jadis, la projette vers des perspectives insolites. « Nous approfondissons de plus en plus la trace due au passé dans le passé et y dégageons d'étranges orientations ; nous ajoutons de l'énigme. Nous ajoutons de l'imprévisibilité au *Ce fut* de tout ce qui fut » (3, 249).

Busoni disait : « Il ne faut pas interpréter. Il s'agit de réimproviser » (3, 69). Splendide conseil, qui ne convient pas seulement aux musiciens, mais aussi à tout lecteur. Lire, recueillir, faire retour au primesaut des premiers étonnements, conserver les bords francs de la plaie au lieu de la panser par des discours attendus, voilà quelques-unes des rugueuses leçons auxquelles ces pages nous convient.

FRANCIS WYBRANDS

La fin du divan ?*

* Raymond CAHN, *La Fin du divan*, éd. Odile Jacob, 2002.

LE TITRE révèle sans fard le contenu du livre dans lequel Raymond Cahn s'interroge sur l'avenir de la psychanalyse et la nécessité où elle se trouve, selon lui, de modifier une pratique aujourd'hui menacée. L'auteur effectue une sorte d'état des lieux. Il constate que les individus tentés par l'aventure analytique sont de moins en moins nombreux et que, souvent – ce qui va de pair –, les demandes adressées aux psychanalystes sont imprécises, floues, et relèvent davantage d'une prise en charge thérapeutique que d'une cure analytique. Par ailleurs, les psychanalystes rencontrent plus fréquemment qu'autrefois des « cas limites », notamment des patients souffrant de troubles narcissiques archaïques qui requièrent un autre mode d'écoute et avec lesquels le face-à-face est souvent préférable au divan.

En outre, un nombre considérable de thérapies de toutes sortes, individuelles ou collectives, verbales ou corporelles, ont vu le jour, pures techniques de soin qui se vantent de venir rapidement à bout des symptômes : méthodes comportementales et cognitives, analyses transactionnelles, hypnose, sophrologie, relaxation, cri primal, « rebirth », « gestalt thérapie », thérapie systémique, rêve éveillé... Parallèlement, sur le plan médical, l'usage de psychotropes, plus immédiatement performants, se développe, tandis que la formation des psychiatres, désormais rarement confrontés à une analyse personnelle, se fait plus étroitement scientifique dans la méconnaissance des sciences humaines, de l'art, de la littérature, au risque de devenir – comme le craignait déjà E. Zarifian – des « dépanneurs chargés de pallier l'inconfort de l'instant ».

La psychanalyse aurait-elle donc fait son temps ? Non, répond Raymond Cahn, et pas seulement parce qu'elle a profondément imprégné la culture contemporaine, mais aussi parce qu'elle est la seule méthode, à ce jour, qui prenne en compte l'être dans sa totalité, y compris dans sa dimension créatrice et métaphysique, apparaissant de manière paradoxale (elle, la diabolique) comme l'ultime rempart du sujet. Maintenir cette exigence, actuellement, sans céder aux sirènes de l'instant, voilà peut-être la vraie subversion.

Encore faut-il que la psychanalyse reste accessible à un public culturellement différent. Sous peine de s'enfermer sur elle-même dans une pratique confidentielle, « pure » et endogame, elle doit effectuer sa révolution silencieuse en acceptant le face-à-face et le divan – la thérapie analytique et la cure classique – comme deux modalités différentes, mais de même essence... La psychothérapie analytique, écrit fort justement l'auteur, « est une *autre manière* de faire *aussi* de la psychanalyse, qui implique des techniques ou des modes d'intervention qui lui sont propres ». Propos qu'il illustre, par une observation aiguë, de la modification du travail de l'analyste étayée sur des cas cliniques. Tous, actuellement, se posent les questions ici rassemblées par Raymond Cahn. C'est dire l'intérêt de son livre.

CÉCILE SALES
Psychanalyste

Chrétiens dans l'économie

Un LIVRE récent invite à la réflexion*. Pour nombre d'observateurs, en Occident surtout, la foi apparaît hors de saison. Pour les chrétiens, l'indifférence cotonneuse menace davantage qu'un athéisme militant. Devant l'Assemblée du Fonds monétaire international et la Banque mondiale, en septembre 2000, Vaclav Havel, dissident devenu président de la République tchèque, en appelle à un

* Michel ALBERT, Jean BOISSONNAT, Michel CAMDESSUS, *Notre foi dans ce siècle*, Arléa, 2002, 200 pages, 20 €.

nouvel élan spirituel, après avoir dressé un constat plutôt amer : « Nous appartenons à la première civilisation qui est fondamentalement athée, même si des milliards de personnes professent d'une manière plus ou moins active les différentes religions existantes. » La recherche de l'intérêt personnel exclusif, le besoin de confort, la limitation des horizons, le triomphe de l'individualisme, le rejet des pauvres, les injustices criantes entre nations, exercent leurs ravages mortifères.

Dans le contexte actuel de la mondialisation, nous avons à apprendre à nouveaux frais comment vivre l'ouverture à un universel concret dans la lumière de Dieu. Dieu n'est-il pas toujours « plus grand » que notre être, que nos constructions, que nos grandeurs humaines ? Dans nos pratiques quotidiennes, nous avons à nous réapproprier, au sein de la laïcité française, la formule célèbre de Montesquieu : « Si je savais quelque chose qui me fût utile et qui fût préjudiciable à ma famille, je la rejetterais de mon esprit ; si je savais quelque chose qui serait utile à ma famille et qui ne le fût pas à ma patrie, je chercherais à l'oublier ; si je savais quelque chose d'utile à ma patrie et qui fût préjudiciable à l'Europe et au genre humain, je la regarderais comme un crime. »

Parce qu'ils ont le sens d'un Bien commun élargi à l'échelle de la planète, Michel Albert, Jean Boissonnat et Michel Camdessus ont entrepris de réveiller des consciences souvent endormies sur le mol oreiller de leurs conformismes et vivant à l'ombre de leurs clochers. Respirant le grand vent du large, ils ont voulu signer ensemble un livre roboratif, *Notre foi dans ce siècle*. Les usages de la démocratie, les rythmes de l'économie, l'Europe et le souci de la famille humaine les tiennent en éveil. Ils veulent dire à leurs contemporains les soubassements et les raisons de leur foi vécue en plein monde.

Les trois auteurs sont praticiens de l'économie et fidèles catholiques. Ce mélange, jugé explosif, souvent moqué publiquement, surtout en France, les régénère de l'intérieur. Bannissant toute crainte, ils regardent ce qui se dessine à l'horizon de notre époque. « Le message évangélique retrouve sa couleur, sa souveraineté. Il est à réinterroger, à réinterpréter en fonction des réalités d'aujourd'hui. » L'Eglise dont ils sont membres de par leur baptême – notamment à travers la réflexion et l'action dans le cadre des Semaines Sociales – perd peu à peu son rôle « dominateur ». Elle assume de plus en plus un rôle de « guetteur », selon les paroles d'Isaïe ; elle rappelle sans cesse les finalités de toute action collective, la nécessité de reconnaître à chacun sa dignité d'enfant de Dieu. Une telle ambition est à vivre au plan individuel et dans l'épaisseur des réalités collectives. Il s'agit, pour les chrétiens, de mettre la main à la pâte par des actions avec d'autres hommes, pour « inventer et expérimenter, à leurs risques et périls, les structures et les mécanismes d'une vie collective plus humanisée ». La question de Dieu ne peut être divorcée de la présence agissante aux côtés d'une humanité devenue « christifiable » depuis l'Incarnation. Parlant un langage économique, ils sentent que le mal ne peut être « externalisé », mais que les frontières entre bien et mal passent à l'intérieur de nous-mêmes. Chacun doit regarder en face la part de mal qui est en lui.

Le livre fourmille de réflexions tirées de l'expérience et contient des suggestions heureuses. Chemin faisant, les trois signataires proposent des « utopies à réalisation variable ». On les retrouve sur tous les territoires où ils cherchent à discerner les chances de l'avenir. Ils lancent à tout vent des graines d'espérance en direction de notre pays, de l'Europe, de ce monde qui se fait un et de l'Eglise qui est, selon le Concile, la servante de l'unité du genre humain. Et ils ajoutent que l'échange, si nécessaire pour grandir, trouve sa fin en soi, alors que le don est un levier pour ouvrir à des possibles nouveaux. La solidarité commence lorsqu'on y contribue soi-même et qu'on reste fidèle à ses promesses. Le plus grand déficit de nos sociétés n'est-il pas le déficit de sens ?

HENRI MADELIN
Rédacteur en chef

Littérature

V. S. NAIPAUL
La Moitié d'une vie

Roman traduit de l'anglais par
Suzanne V. Mayoux. Plon, coll. Feux Croisés,
2002, 232 pages, 18 €.

Vidiadhaz Surajprasad Naipaul, qui avait abandonné depuis des années le roman pour écrire des essais historiques, des biographies et des récits de voyage, est revenu à une « histoire inventée », une *comédie* sérieuse et grave sur le difficile métier de vivre, pour parvenir à découvrir le secret de son être divisé et le sens du parcours par lequel il s'est construit. Ce qui est frappant ici, c'est la manière dont l'écrivain nous introduit à des mondes tellement différents du nôtre en nous permettant d'y communier, et par là éclaire encore une fois la douloureuse condition humaine. Le petit garçon qui n'aimait pas lire a pourtant toujours voulu comprendre le sens de son existence et, sous le déguisement de cette histoire foisonnante (si pleine d'événements autobiographiques), il nous dépayse de façon incroyable en nous rendant proches de lui. Le personnage principal de *La Moitié d'une vie*, Willie Chandran, est né d'un père de haute extraction marié à une femme de basse caste. Dès l'abord, nous nous trouvons plongés dans le climat d'une Inde profonde, presque inconnue, dont l'atmosphère étouffante, oppressante, dégage un sentiment véritablement tragique. Mille détails décrivent au quotidien l'existence dévaluée d'une famille qui survit au milieu d'humiliations continuelles. Tricheries, corruptions sévissent dans le milieu des innombrables petits fonctionnaires où le père de Willie Chandran s'est glissé. L'enfant, puis le jeune homme, à travers des péripéties aussi médiocres que bouleversantes, s'en échappe finalement pour s'exiler en Angleterre, où il partage la vie presque sordide d'une certaine bohème londonienne dont la liberté sexuelle dégradante fait contraste avec le puritanisme implacable de l'Inde de sa jeunesse. Il rencontre enfin une jeune métisse, belle et racée, qui lui révèle l'amour et l'entraîne dans son pays, au Mozambique (jamais nommé), où il vit un nouvel exil en pleine forêt, à l'écart de la colonisation portugaise. Nous découvrons alors un troisième monde, entièrement différent des deux premiers. Là, notre héros, toujours divisé, poursuit sa quête identitaire en découvrant, au contact de l'Afrique, une troublante plénitude charnelle. A la fin du roman, la terrible révolte africaine est sur le point d'éclater, et notre Willie va s'enfuir de nouveau vers on ne sait quel horizon de douleur et d'espoir, où il vivra sans doute amèrement sa condition d'exilé. Ce récit initiatique, enraciné dans le réel, et que soulève sans cesse une soif d'unité, peut ainsi rejoindre, après maints méandres, le cœur attentif de tout homme venu d'un pays portant le nom d'ailleurs.

Jean Mambrino

François CHENG
Le Dialogue,
une passion pour la langue française

Desclée de Brouwer, 2002, 96 pages, 10 €.

Ce petit livre (de la belle collection « Proches Lointains ») rend compte d'une expérience immense. François Cheng y esquisse d'abord le parcours qui lui a permis de faire le pont entre le monde chinois et l'univers occidental. Jeune étudiant, exilé à Paris au cours de l'après-guerre, il avait choisi la France sans connaître sa langue, par amour pour sa littérature et pour son histoire, qui lui a permis, grâce à sa géographie variée, de recevoir des influences multiples et contradictoires l'ouvrant à un idéal d'universalité. Il est devenu ainsi porteur de deux langues riches et complexes, et a peu à peu adopté le français comme outil de création, gardant sa langue maternelle au fond de lui comme une source intime d'inspiration, d'où naissent ses images et ses rêves. Admirable est la seconde partie de cet éloge du dialogue entre deux mondes ; il y analyse avec une subtilité aussi précise

Les Carnets d'Études

123

que savoureuse les particularités de la langue *françoise* (comme on disait au Moyen-Age) à travers six mots qui habitent son écriture et sa pensée : *Arbre, Rocher et Pierre, Entre, Source, Nuage, Nuit*, chacun illustré par un bref poème. Nous saisissons alors, avec une véritable délectation, le mariage du sens et du son, où se dévoile de façon exquise et fulgurante le secret de toute poésie. Là s'ouvre le *Vide-Médian* qui illumine le cœur de la Chine immémoriale. Et la distance est abolie. « C'est dans l'*entre* qu'on entre, qu'on accède éventuellement au vrai. » Le langage est devenu communion.

Jean Mambrino

Miguel DELIBES
L'Etoffe d'un héros
Roman traduit de l'espagnol par Dominique Blanc. Verdier, coll. Otra memoria, 2002, 378 pages, 18 €.

Parmi l'abondante littérature suscitée par la guerre civile espagnole, ce roman psychologique, imprégné de fragments autobiographiques et historiques, manifeste une critique des horreurs du passé et une volonté de tolérance. Témoin des temps tragiques, Miguel Delibes propose une chronique familiale au sein de la société d'une ville de province qui semble être Valladolid, de 1927 à 1939. Dans le vieux palais où réside une famille chaleureuse, le jeune Gervasio, qui semble manifester les indices d'un avenir héroïque, bénéficie d'une enfance protégée entre parents, sœurs aînées, oncles, tantes et vieille domestique affectueuse. Les années de collège coïncident avec une montée des périls, de la République athée au soulèvement militaire. La haine culmine entre « Croisés » et « Rouges », qui rivalisent en atrocités. Solidaire de sa famille et des religieux, Gervasio est perturbé par l'aveuglement républicain de son père qui entraîne une arrestation. Cependant, la compassion l'emporte peu à peu sur la honte. Gervasio s'engage dans la Marine en compagnie d'autres collégiens. Après une adaptation difficile à la promiscuité et à la discipline du bateau-école, il embarque sur un croiseur et participe à des opérations militaires en Méditerranée. Les désillusions de la peur succèdent au mythe de l'héroïsme. Peu enclin à partager l'allégresse de la victoire et conscient de sa médiocrité militaire, Gervasio évoque ceux qui ont eu « une même mort » pour la défense d'une cause et qui sont des héros : « Pourquoi devraient-ils être différents ? »

Jean Duporté

Christophe BATAILLE
J'envie la félicité des bêtes
Grasset, 2002, 116 pages, 10 €.

C. Bataille nous avait habitués à une langue maîtrisée, pure et envoûtante. Dans ce cinquième roman, il exhibe un langage proche de celui de la folie : le flux déstructuré des mots, empruntés à la rue, ou d'une délicatesse rare, ou encore étrangers, évoque toujours la cruauté, la misère des corps, l'épreuve de l'errance. Mais Bataille réalise avec génie l'alliance monstrueuse et insensée du réalisme le plus cru et de la poésie. Ses mots disent avec brutalité, et finalement avec un réalisme inouï, la vie horrible des deux héros, semblable à un « martyre de la prostitution ». Stermione (ex-maquereau et truand à ses heures) et sa compagne Maël (ex-prostituée), saltimbanques marginaux unis par un amour vorace, hypnotisent leur public au cours d'un spectacle énigmatique, situé entre bouffonnerie et rite initiatique. Tout comme Bataille joue de notre fascination pour la mort et la violence, ces deux « clowns » en perdition officient aux frontières de la vie et flirtent dangereusement avec les interdits pour satisfaire le voyeurisme de leur public (le spectacle met en scène la mort de Maël), en mettant à prix leur propre vie et leur amour. Le mystère qui entoure le spectacle et l'humiliation en forme de vengeance qu'ils infligent au public, les détruit finalement peu à peu, malgré leur éphémère sentiment de puissance. Le modèle du carnaval, qui renverse les valeurs pour proclamer les vérités cachées de la société, semble parcourir le roman. Mais, loin de proposer à notre monde un miroir déformé par la fantaisie et le rire, ce carnaval sinistre nous jette à la figure l'image trop vraie d'un monde sans pudeur, sans joie et sans pitié. Un roman dérangeant, fou, et désespérant.

Agnès Passot

Hélène CIXOUS
Manhattan
Galilée, 2002, 240 pages, 26 €.

Comment de l'événement parvient-on au récit ? Par quel processus une rencontre dans une bibliothèque de New York, en 1964, source d'une « explosion mentale et culturelle », devient-elle, en avril 2001, un pan de l'œuvre que Hélène Cixous érige, livre après livre, en l'honneur de « la littérature en tant que toute-puissance-autre, l'idole inventée, l'autre-personnage principal de cette aventure ? » *Manhattan* conduit le récit tout autant en quête de son élaboration que des circonstances placées à son origine : une histoire d'amour dans la ville de New York avec un jeune homme appelé Georges – Gregor –, comme le fils mort évoqué dans *Le Jour où je n'étais pas là* (cf. *Etudes*, mars 2001). On aurait envie de conseiller de commencer par les pages où Hélène Cixous donne la parole à sa mère pour raconter cette passion. Témoin de l'effet dévastateur qu'eut cet engouement sur sa fille, elle monologue avec ironie, violence, franc-parler. Elle accuse sa fille de son aveuglement passé. Comme un chant de coryphée dans une pièce d'Aristophane, la mère joue son rôle de bon sens affectueux mais agressif. Bien que de nombreux détails objectifs soient fournis sur l'évolution de cette brève passion, le livre ne se présente pas comme le récit anecdotique d'une rencontre amoureuse. Hélène Cixous, comme dans ses précédents livres, veut aller au cœur de la connaissance de soi. Elle admet ses « égarements de tous ordres et degrés, erreurs d'amours toujours passionnées, erreurs de jugement des personnes en lesquelles je dépose ma

confiance, extrémismes de mes cheminements : une fois le premier pas fait, jusqu'au bout, jusqu'au bout ». Le récit tout entier est l'approfondissement d'une vie vouée à la littérature et à quelques mystères familiaux. Le frère ajoute une troisième voix, très belle quoique dissonante. Mais Hélène Cixous aime les dissonances, les chaos, les fêlures, les douleurs qui produisent la vérité... et aussi la littérature. « La littérature a toujours été pour moi la plus sublime et grande des affaires », commente l'auteur entre deux flots de pages, cherchant à découvrir la part de soi enfuie dans les scènes qui, remontant du passé, envahissent le présent de l'écriture.

Michèle Levaux

Sébastien ORTIZ
Tâleb
Récit. Gallimard, 2002, 178 pages, 14 €.

Tâleb n'est pas un roman, mais un « récit ». Ce choix narratif est étroitement lié à la manière dont Sébastien Ortiz déroule la vie du héros : comme un enchaînement de circonstances donnant l'illusion d'être réversible à tout moment, et qui pourtant mène implacablement le récit vers sa dramatique issue. Hâfiz est un jeune Afghan, né avant le règne des Talibans, et dont l'enfance est nourrie d'affection, d'insouciance, de poésie et de musique (son père est luthier). Il éprouve pour sa soeur Leylâ un amour jaloux, où la fascination pour la beauté et le désir entre parfois. Puis c'est l'exil, l'apprentissage brutal de l'âge adulte et surtout la mort de sa sœur adorée. Dès lors, l'auteur, sans abandonner le registre lyrique et enchanteur des descriptions où se mêlent paysages, saveurs et sonorités d'Afghanistan, décrit l'itinéraire de moins en moins personnel de Hâfiz, qui peu à peu semble perdre son identité : il entre dans une Madrassa, poussé par un grand désir de vérité, et en sort fanatisé par les Talibans, instrument de destruction vidé de son âme, et pourtant plus désireux que jamais de s'élever vers la vérité et la beauté. L'obéissance et la traque aveugle du

« mal », l'habitude du sang versé, lui tiennent progressivement lieu de règle de vie. La rencontre fugitive et tenue secrète d'un vieillard emprisonné qui lui révèle la beauté des mots, le visage d'une Occidentale entrevu comme le dévoilement d'un bonheur possible, ne parviennent pas à enrayer un destin marqué par l'absurde et le gâchis, et non par une nécessité intérieure et spirituelle. Un récit qui n'a malheureusement que peu à voir avec la fiction, et qui démontre que le fanatisme sait se nourrir des aspirations les plus nobles. S. Ortiz ne laisse à son héros qu'une étincelle, réveillée trop tard, d'humanité.

Agnès Passot

François MAURIAC/Jean PAULHAN
Correspondance (1925-1967)
Edition établie par John E. Flower.
Ed. Claire Paulhan, 2001, 370 pages, 28 €.

Tout semblait devoir séparer les deux écrivains : la conception de la littérature, les convictions religieuses... Au début, leurs relations se situent à un niveau très professionnel : l'animateur de La NRF s'efforce d'attirer un auteur, malgré les diatribes de Mauriac contre Gide (l'ennemi capital) et des attaques de la revue contre les livres de Mauriac (par exemple, l'article célèbre de Sartre). L'un et l'autre se retrouveront unis dans la Résistance et, à la Libération, se prononceront contre une justice expéditive. Dès le début, leurs entretiens prennent un tour très personnel (« Incroyant ? Je ne sais si vous l'êtes » – Mauriac), alors que Paulhan reproche à son ami de n'avoir pas formé l'expression (littéraire) de sa foi. Ils commentent leurs œuvres : « Ce livre dont je poursuis la lecture avec admiration et méfiance... » (Mauriac) ; en écho : « Je lis vos œuvres pour m'instruire » (Paulhan). Ils échangent sur l'amour, sur le sexe (« Entrouvrir *Histoire d'O*, c'est entrebâiller la porte de l'enfer » – Mauriac). Cette longue fréquentation de deux personnalités dissemblables débouche sur l'amitié, dont témoigne Mauriac dans une dernière lettre : « Vous avez "bon cœur" », cher Paulhan. Et c'est ce cœur que je préfère en vous. »

François Denoël

Histoire

Jean-Paul ROUX
Gengis Khan et l'Empire mongol
Gallimard, coll. Découverte, 2002, 144 pages.

Ce volume a les caractéristiques et les qualités de cette belle entreprise éditoriale qu'est la collection « Découverte ». Ici, l'intérêt des illustrations est particulièrement manifeste, à la fois du point de vue esthétique et quant à l'histoire des institutions. L'auteur, spécialiste éminent des sociétés de Turquie, d'Asie centrale et de l'empire mongol, offre un texte précis et suggestif. Sur plusieurs siècles, à travers des fortunes diverses, cet Empire s'affirma comme puissance continentale étonnante vers la Chine, l'Inde, l'Europe orientale. Celui que nous appelons Gengis Khan (par une adaptation de son nom originel), qui vécut de 1155 à 1227, exerça un rôle décisif à l'origine d'un tel succès. Il semble que lui revienne, au moins pour une part, la tradition qui fut celle de l'empire mongol dans le domaine religieux : une tolérance bienveillante dont bénéficièrent assez souvent les groupes chrétiens. Ce point et d'autres sont éclairés par un choix de textes en fin de volume.

Pierre Vallin

Janine GARRISON
Catherine de Médicis
L'impossible harmonie. Payot et Rivages, 2002, 168 pages, 12,95 €.

Janine Garrison, qui a étudié sous de nombreux aspects l'époque des guerres de Religion et le destin des protestants français, dresse ici un portrait de la princesse florentine, devenue reine de France en 1547. Après la mort de son époux en 1559, pendant trente ans (jusqu'à sa propre mort, en 1589), elle eut une place de toute première importance dans le gouvernement du pays, mère déchirée par la mort de filles et de fils. Avec l'un d'eux, Charles IX, elle exerce le pouvoir lors du massacre de la Saint-Barthélemy, en 1572. Ce souvenir et d'autres traits ont valu à Catherine de Médicis une image peu flatteuse, contre laquelle est rédigé le présent portrait. Janine Garrison, interprétant en ce sens le catalogue de la bibliothèque richement choisie laissée par la reine, et suivant aussi d'autres indices, reconnaît chez l'héritière de l'humanisme florentin un intérêt sérieux (Catherine pouvait lire le grec) pour les courants de pensée inspirés de la tradition platonicienne, sagesse philosophique attachée à la contemplation de l'harmonie du monde et à la communion amicale des esprits. Selon cette orientation doctrinale, elle aurait été sincèrement attachée à rétablir la concorde entre les chrétiens désunis. C'est à elle que reviendrait la conversion du chancelier Michel de L'Hospital à des voies de politique conciliatrice ; elle ne réussit certes pas ce qu'elle ambitionnait. D'autres aspects de sa personnalité sont évoqués : en particulier son attachement méritoire à un époux outrageusement infidèle, ou son énergie lucide et durable au service du royaume ; aussi son goût du faste, qui aurait aidé au développement de la cuisine française. La rédaction du livre doit souvent procéder par allusions, ce qui pourra gêner certains lecteurs. Un tableau généalogique de la famille royale et une chronologie donnent des repères à ne pas négliger.

Pierre Vallin

Stéphane AUDOUIN-ROUZEAU
Un regard sur la Grande Guerre
Photographies inédites du soldat Marcel Felser.
Préface et commentaires
de Stéphane Audouin-Rouzeau.
Larousse, 2002, 192 pages, 32 €.

Marcel Felser, résistant, est mort déporté à Buchenwald à la fin de 1944. A la fin de 1915, il était arrivé sur le front des Vosges, déjà âgé de 22 ans, ayant été retardé d'abord par un statut d'étudiant et le temps des classes. Ingénieur de formation, il participa à l'électrification du front, ce qui explique qu'il eut à sa disposition des appareils de photographie et la possibilité de les utiliser librement. Quatre cents négatifs ont été conservés, retrouvés il y a peu par l'un de ses petits-enfants. Cet ensemble est exceptionnel et la qualité des photos remarquable, à en juger par les cent dix-huit vues ici reproduites (généralement en grand format). Remarquable surtout l'originalité des choix qui ont guidé la prise de vues, en fonction des conditions mêmes du front des Vosges où Felser se trouvait. C'est la guerre de position, mais en des lieux qui ont été auparavant longuement déchirés. La moitié des photos montre ces destructions, avec, en particulier, le signe désolé des arbres morts. Les hommes, eux, sont photographiés dans toute la tension de leur corps, barricadés dans l'étroitesse du poste. Souvent aussi ils sont debout, décidés, faisant face à l'objectif, calmes, et l'on pourrait dire souriants, si la gravité n'était présente. Jamais Felser ne photographie l'horreur des blessures et des cadavres. Les armes habituellement ne sont pas cadrées de façon à appeler le regard, quelques signes seulement faisant allusion à une guerre devenue industrielle – les forêts de barbelés – et de plus en plus technologique (p. 108-118). L'image de la guerre demeure archaïque, ânes ou mulets sont encore à l'œuvre, mais la peine des hommes en est peut-être ainsi rendue sensible, comme le dit Stéphane Audouin-Rouzeau dans l'un de ses admirables commentaires. Les vues de la ville de Thann, détruite mais réoccupée, évoquent sans doute la volonté du soldat de refaire une France forte. Mais d'autres vues, discrètes et poignantes, font rencontrer les tombes isolées ou les cimetières qui ont grandi au cœur des bois. Paradoxe enfin, les photos de la jeune fille rencontrée lors d'un repos à l'arrière, qui devint son épouse (p. 96-104) : seules, semble-t-il, quelques-unes ont été développées. Le journal visuel de la Guerre resta autrement muet, comme tant de souvenirs des survivants.

Pierre Vallin

Claude PENNETIER et Bernard PUDAL
Autobiographies, autocritiques, aveux dans le monde communiste
Belin, 2002, 368 pages, 22 €.

Ce genre littéraire fut infiniment fécond. Il est étudié ici dans le cas de l'URSS comme dans celui de la France (PCF de l'Allier) et de l'Italie (par Bruno Groppo). Il faut en redire l'origine. Dans ce système – et cela vaut dès 1920 –, « le récit de l'histoire sociale et politique de chacun est le critérium à partir duquel la hiérarchie sociale s'ordonne ». L'idéal, bien sûr, étant d'épouser par sa trajectoire sociale le mythe prolétarien, et par sa trajectoire politique « l'histoire du bolchevisme ». Cela existe en d'autres mondes que le monde communiste, mais il faut admettre que la pratique en fut portée ici à l'extrême. Il restait – c'est l'une des conclusions de nos auteurs – « un quant à soi, marqué par l'expérience vécue ». Quelle « prégrance » pourtant, notent-ils aussi, des « cadres sociaux de la mémoire », transformant les souvenirs individuels, leur donnant « sens ».

Jean-Yves Calvez

*Alain Savary.
Politique et honneur*
Ouvrage coordonné par Serge Hurtig.
Presses de Sciences-Po, 2002,
336 pages, 26 €.

Voici le portrait d'une personnalité politique qui a participé aux moments les plus importants de l'histoire de la France de la seconde moitié du XXᵉ siècle : de l'engagement dans la France Libre (il sera Compagnon de la Libération) à la victoire de la Gauche en 1981 et au ministère de l'Education Nationale, où il est nommé par François Mitterrand pour apporter

une solution définitive à l'affrontement de deux France autour de l'école. Auparavant, Alain Savary avait été associé à la recherche de la paix en Indochine et, comme secrétaire d'Etat, à la fin du protectorat en Tunisie et au Maroc. Homme de gauche, entre 1969 et 1971 comme Premier secrétaire, il lança la transformation de la SFIO en Parti socialiste, avant d'être écarté de ce poste par François Mitterrand au congrès d'Epinay. Le colloque consacré à sa mémoire, dont cet ouvrage est le compte rendu, ne prétend aucunement revisiter cette longue histoire. En évoquant un itinéraire personnel, il apporte la preuve qu'un homme de conviction et de courage, qui a toujours « refusé de faire passer l'efficacité devant la morale », parvient à laisser sa marque dans la vie politique – moins par ses réussites (plusieurs intervenants notent que « l'inadéquation d'Alain Savary au jeu politique » explique ses échecs) qu'en démontrant par toute sa vie qu'on peut poursuivre dans l'honneur un engagement politique.

Edmond Vandermeersch

Jean-Pierre RIOUX (sous la dir. de)
*Deux cents ans
d'Inspection générale (1802-2002)*
Fayard, 2002, 412 pages, 22 €.

Quelle Inspection générale autre que celle de l'Instruction publique, devenue en 1980 Inspection générale de l'Education nationale, peut-elle être assurée d'être identifiée à l'énoncé de sa seule fonction ? Cette caractéristique remarquable (laquelle peut avoir ses revers) s'inscrit dans l'histoire, maintenant vieille de deux siècles, de l'identification de ce Corps au devenir du système d'enseignement public. De fait, c'est grâce à l'énergie des trois premiers Inspecteurs généraux désignés comme tels que les premiers principes de la Réforme napoléonienne de l'enseignement public ont pu être concrétisés, ouvrant à la création, en 1808, de l'Université de France. Ces hommes, dont le grand Ampère, étaient des hommes à tout faire. Ils ont su donner au système une forme et un horizon : des bâtiments ont été repérés, des professeurs ont été choisis, des programmes ont été élaborés, à partir de quoi le développement d'ensemble était dessiné (à petite échelle toutefois). Par la suite, et du fait du développement de l'offre d'enseignement public, le corps s'est étoffé pour mieux accompagner chaque direction du Ministère en sa compétence particulière. Au moment des Réformes de la IIIe République, l'Inspection générale était la clef de voûte du système. Ses membres étaient les conseillers du Ministre pour la politique d'enseignement ; ils étaient en charge de la définition des programmes enseignés dans les lycées, responsables donc de rapports harmonieux entre les lycées et les universités ; ils présidaient les jurys d'agrégation et veillaient au recrutement d'un corps enseignant compétent ; enfin, avec la très redoutée notation pédagogique, ils étaient responsables de la carrière des professeurs. Ce fut un temps béni : l'Inspection générale était gardienne des exigences de l'enseignement public laïque, soucieuse de la formation du citoyen éclairé, ce dont témoigne l'engagement de nombre de ses membres en faveur de Dreyfus. Mais cet équilibre fut mis à mal après la seconde guerre mondiale et il semble qu'un effet 1968 ait affecté la crédibilité du Corps, tant il semblait clair alors que les Inspecteurs généraux ne comprenaient plus rien à l'évolution réelle du système d'enseignement. Ils avaient un peu lâché prise avant – en tout cas, ils n'avaient pas pris la vraie mesure des conséquences du décret de 1959 allongeant la scolarité obligatoire, décret auquel ils avaient pourtant donné leur assentiment. De toute évidence, la décision affectait le mode de recrutement du corps enseignant, le contenu des programmes, l'architecture des bâtiments. Elle impliquait de savoir tenir compte d'un public beaucoup plus nombreux et hétérogène qu'auparavant. L'Inspection générale n'a pu faire face à ce bouleversement. Son pouvoir, apparemment inchangé, s'est replié sur un terrain défensif, ce dont la réforme de l'enseignement des mathématiques, bâclée mais d'effet réel, reste un exemple célèbre. Le Corps devint la cible privilégiée des critiques formulées à l'encontre du système d'enseignement public et de ses manquements à l'efficacité. Le coup de Jarnac lui fut porté par le désaveu d'Alain Savary. C'était injuste. Mais le Ministre était alors confronté à des tâches vraiment difficiles. Depuis, un apaisement s'est esquissé : le rôle du corps a évolué et il pèse moins sur la carrière de l'enseignant. Les Inspecteurs sont plus attentifs à la complexité du système d'enseignement et à ses interdépendances. La longue histoire dont ce livre expose des étapes très significatives, d'autant mieux choisies et analysées qu'aucune synthèse n'en est vraiment possible, n'est pas finie. Le tracé de portraits sans fard et l'analyse d'actions de plus ou moins d'éclat font comprendre un débat dans sa récurrence, celui des enjeux d'une politique publique d'enseignement.

Pascale Gruson

Carnets de Sarajevo 1

Gallimard, 2002, 210 pages, 15 €.

Sarajevo, au cœur de l'Europe, qui, après les dures épreuves d'une guerre, faillit disparaître, renaît peu à peu grâce à la bonne volonté d'écrivains, d'artistes, de personnes de culture prêtes à sacrifier une part de leur temps et de leur énergie afin de les consacrer à ce lieu, à ce qu'il représente, à ce qu'il a su être et à ce qu'il pourrait être. « Les Rencontres européennes du livre de Sarajevo », créées en 2000 à l'initiative du Centre André-Malraux (fondé durant le siège de Sarajevo par Francis Bueb), ont abouti à ce premier cahier, qui laisse entendre des voix diverses, allant des témoignages aux textes de fiction ou poétiques. Alors que les « problèmes » de la Bosnie-Herzégovine semblent être résolus pour les bonnes consciences vite oublieuses de ce qui les empêche de dormir, il est significatif de noter que c'est à l'art (sous toutes ses formes, adresses et maladresses) qu'est dévolue la tâche de rappeler qu'histoire et espoir riment rarement. Ce premier cahier est dédié à la mémoire de Izet Sarajlic, poète disparu avant la publication de ce recueil, qui donne un texte à l'ironie mordante (*La Dinde*), montrant en quelques lignes l'essentiel d'une situation où se conjuguent mauvaise foi, absurdité, tragique et humanité. Résumé de l'ex-Yougoslavie, la Bosnie-Herzégovine est peut-être aussi le résumé de l'Europe, qui a tant de mal à s'élever à la hauteur de ce qui fut son destin. Il ne faut en aucun cas oublier ce qui s'est passé là-bas, ni négliger ce qui s'y passe aujourd'hui. Ces *Carnets* sont comme les miroirs de nos déconvenues et de notre avenir.

Francis Wybrands

Sciences sociales

Antoine GARAPON
Des crimes
qu'on ne peut ni punir ni pardonner
Pour une justice internationale. Odile Jacob, 2002, 350 pages, 26 €.

La mise en place d'une justice internationale ne se fait pas sans peine ; elle se heurte à des objections théoriques fortes (risque d'une justice des vainqueurs, nature de la loi à invoquer dans les jugements, souveraineté des Etats), tout autant qu'à des obstacles pratiques, voire peut-être, surtout, à la difficulté de juger « des crimes qu'on ne peut ni punir ni pardonner », selon une expression de Hannah Arendt reprise dans le titre de l'ouvrage. Antoine Garapon prend à bras le corps ces difficultés, les expose, en examine les attendus, répond aux objections, écarte les confusions comme celles qui identifient crime de guerre et crime contre l'humanité, ou encore celles qui assimilent le terrorisme à un crime contre l'humanité. Il illustre son propos par nombre d'exemples pris à une histoire qui a commencé avec le procès de Nuremberg et qui n'a cessé de connaître des rebondissements, surtout depuis la fin de la

« guerre froide ». Il ne manque pas d'analyser les diverses tentatives de tribunaux internationaux et d'en montrer les limites, mais tout autant de faire apparaître en quoi ils sont l'esquisse d'une justice à venir. On notera son jugement globalement favorable à l'égard de la Commission sud-africaine « Vérité et Réconciliation », qui tranche par rapport à nombre d'appréciations plus critiques. Très inspiré par Hannah Arendt et, sur un autre registre, par la philosophie de Paul Ricœur, Garapon sait allier à un large effort documentaire un souci théorique remarquable. Et si les développements sont parfois répétitifs ou compliqués, le lecteur est frappé par la fermeté du propos et l'engagement du juriste. De telles réflexions critiques sont indispensables et salutaires pour préparer l'avènement d'institutions internationales de justice dans un présent encore balbutiant.

Paul Valadier

Wolfgang SOFSKY
L'Ere de l'épouvante
Folie meurtrière, terreur, guerre. Gallimard, coll. Essais, 2002, 286 pages, 22, 90 €.

Ce livre fait froid dans le dos. Ecrit sur un ton impassible et descriptif, il fait parcourir au lecteur une sorte de musée des horreurs qui n'a rien d'un inventaire passéiste, mais qui plonge au contraire dans l'actualité la plus effroyable. Sans juger, sans chercher non plus à expliquer (le pourrait-on en pareils domaines ?), Sofsky énumère ce qui se passe à partir du moment où un individu ou un groupe franchit la frontière du meurtre. Décrivant ce qu'il appelle avec humour noir « le paradis de la cruauté », il accumule les innombrables modalités de l'épouvante qui incluent camps de la mort, pogroms, chasses à l'homme (y compris à travers des bandes d'enfants), profanations, guerres de terreur, razzias, attentats, persécutions de toutes sortes. Il montre bien, en finale, comment l'oubli en ces domaines est difficile, voire impossible, alors que pourtant les sociétés ne peuvent vivre

130

dans une mémoire uniquement marquée par la culpabilité. Voilà un livre qui ne porte guère à l'optimisme sur les aptitudes des humains au bien et à l'idéal... Mais sans doute faut-il avoir le courage de sonder ces abîmes pour espérer, malgré tout ?

Paul Valadier

Serge TISSERON
Les Bienfaits des images
Odile Jacob, 2002, 260 pages, 21,80 €.

Le titre de l'ouvrage recouvre exactement son propos : prenant à contre-pied la mode hygiéniste et moralisatrice qui porte sur le devant de la scène les détracteurs des images violentes ou pornographiques, l'auteur met en avant le rôle bienfaisant des images. Ce ne sont pas les images, soutient-il, qui sont en elles-mêmes perverses ou nuisibles, c'est notre investissement – de parents notamment – qui les charge positivement ou négativement. C'est notre histoire personnelle qui les rend odieuses ou indifférentes, agressantes ou, paradoxalement peut-être, libératrices, pour nous-mêmes bien sûr, mais aussi pour nos enfants, qui baignent dans notre univers émotionnel. Les images sont les gardiennes de notre mémoire et de nos affects, ce qui explique peut-être le pouvoir quasi magique que nous leur prêtons de pousser nos enfants au passage à l'acte. Pourtant, par la distance qu'elles instaurent entre réalité et fiction, elles offrent à chacun comme un palier de décompression pour une meilleure prise en compte du réel. Le livre est mené avec beaucoup d'intelligence, mais, à vouloir trop prouver, il perd parfois de sa pertinence. Ce n'est pourtant pas la principale critique que l'on puisse faire à cet ouvrage, par ailleurs excellent. La question réside bien plutôt dans l'absence de mise en perspective politique de la question traitée. Quoi que puisse en dire le psychanalyste, la question dépasse le divan : qui a intérêt à mettre en scène la violence ? Quels intérêts se cachent derrière cette volonté d'éradiquer, par la puissance de

l'image, toute distance critique ? Il faudrait lire ici le petit ouvrage de Noam Chomsky (*Deux heures de lucidité*, Les Arènes, 2002) pour se rappeler qu'une image n'est jamais qu'un produit de propagande ou de commerce visant à établir un mode de pensée ou à éluder un problème. Noam Chomsky déplore que les Français ne consacrent pas assez d'énergies au débat et à la recherche sur les médias. Le livre de Serge Tisseron peut à cet égard, par son non-conformisme, favoriser une saine émulation.

Jean-Pierre Rosa

Michèle LAMONT
La Dignité des travailleurs
Presses de Sciences Po, 2002,
384 pages, 28 €.

Interroger des travailleurs aux Etats-Unis et en France, afin de repérer comment ils définissent leur identité et leur dignité, est un pari stimulant. C'est donc à un voyage de part et d'autre de l'Atlantique que nous invite l'auteur, qui enseigne la sociologie à l'université de Princeton. L'analyse repose sur 230 entretiens approfondis de personnes différentes par leur statut professionnel (ouvriers et employés, cadres et dirigeants) et, pour les ouvriers, leur appartenance à une minorité (Afro-Américains pour les Etats-Unis et Nord-Africains pour la France). Cette variété rend particulièrement difficile le regroupement des entretiens en ensembles homogènes, d'autant plus que les critères utilisés n'ont pas le même sens aux Etats-Unis et en France (le gendarme se reconnaîtrait-il en France comme un travailleur *blue collar* ?). Il est aussi délicat de faire jouer l'appartenance à une minorité raciale sur les seuls critères nord-africains (pour la France) et afro-américains (pour les Etats-Unis) sans faire intervenir dans l'analyse l'histoire des migrations dans les deux pays. Le lecteur trouvera, néanmoins, dans ce livre étonnant une grande richesse d'informations et des éléments précieux pour

Les **C**arnets d'**É**tvdes

poursuivre la réflexion. Si des critères d'ordre moral (autodiscipline, responsabilité) apparaissent aux Etats-Unis comme des éléments importants de l'identité des travailleurs, celle-ci demeure plus attachée, en France, à une expérience et à une mémoire collectives.

Antoine Kerhuel

Guy ROUSTANG
Démocratie : le risque du marché
Desclée de Brouwer, coll. Sociologie économique, 2002, 202 pages, 19 €.

La distinction entre économie de marché et société de marché – que Guy Roustang avait thématisée naguère avec Bernard Perret – appelle ici son corollaire : comment éviter que l'économie ne devienne un élément étranger au corps social ? L'auteur cherche donc les modalités d'un encastrement de l'économique dans le social. La réponse tourne autour d'une conception républicaine de la société, dans un sens proche de celui de Péguy. En bref, la liberté républicaine ne naît pas de l'individualisme cynique qui ne connaît que ses droits, mais du respect du bien commun qui intègre le souci de l'intérêt général. Aucune idéalisation de l'Etat ne se cache derrière cette recherche, mais un sens aigu des conditions culturelles, sociales et politiques de la responsabilité personnelle. L'économie n'y est pas l'infrastructure de la société, elle n'en est que le vecteur culturel d'aujourd'hui. L'économie n'y est pas non plus un simple outil, car elle n'est jamais séparable de la culture qui la fait naître. Sur ce point, quelques nuances seraient peut-être à apporter aux propos de Guy Roustang : il ne suffira pas d'enrichir l'économie des apports de la psychologie et de la sociologie pour lui redonner son caractère de science humaine. L'objectivation de la démarche scientifique, prendrait-elle l'homme pour sujet d'observation, ne peut jamais intégrer totalement le caractère singulier des stratégies d'acteur.

Etienne Perrot

Christophe JAFFRELOT (sous la dir. de)
Le Pakistan, carrefour de tensions régionales
N^{elle} éd. augmentée et mise à jour.
Ed. Complexe, 2002, 166 pages, 14,6 €.

A l'heure où les oppositions s'aggravent entre Inde et Pakistan à propos du Cachemire, cette nouvelle édition est faite pour qui veut comprendre la situation particulièrement délicate de Moucharaf, l'homme fort du Pakistan, soumis à des pressions contradictoires. La montée en force du militantisme sunnite dans la région a produit des effets dévastateurs en Afghanistan et au Cachemire. On a vu croître des groupes jihadistes aux côtés des Taleban. Les alliances et les conflits s'entremêlent en suivant les lois d'une géométrie variable. Depuis les attentats du 11 Septembre, les Etats-Unis, pour des raisons tactiques, ont besoin d'un Pakistan apaisé, et ils cherchent à tempérer une Inde nationaliste pour des raisons stratégiques. Les tensions ethniques et les conflits frontaliers se déroulent sous la menace du feu nucléaire dont sont en possession ces deux antagonistes.

Henri Madelin

Philippe MEIRIEU
Repères pour un monde sans repères
Desclée de Brouwer, 2002, 278 pages, 21 €.

Sur un sujet difficile, voici un livre agréable à lire. On le savoure par petites gorgées, puisque les deux tiers de l'ouvrage sont faits de brèves chroniques. Chacune laisse dans l'esprit un goût d'amitié et d'espoir. Tout le contraire des grandes théorisations anthropologiques ou psychologiques. C'est l'écho de situations quotidiennes, de celles que vivent chaque jour des parents décontenancés par le mutisme d'un enfant ou les sautes d'humeur des adolescents, de même que des professeurs confrontés aux réactions imprévisibles de leurs élèves. Au moment où politiques, publicistes et moralistes autoproclamés inondent l'opinion de condamnations solennelles de l'air du temps et des jeunes – sauvageons ou non – qui s'y contaminent, ces « repères », nourris de confiance autant que de lucidité et d'exigence vraie, apportent fraîcheur, non-conformisme et espérance. L'auteur a derrière lui une longue expérience de praticien et de théoricien de l'éducation, depuis sa propre famille jusqu'au plus haut niveau de l'Education Nationale. Parce qu'il sait la complexité de ces questions, il n'évoque ni évidences faciles, ni remèdes-miracles ; il indique aux parents et aux enseignants les voies par où ils conduiront, main dans la main, enfants et adolescents vers une humanité adulte et responsable. Un livre à lire et/ou à offrir à tout parent, à tout enseignant.

Edmond Vandermeersch

Claude OLIEVENSTEIN, Carlos PARADA
Comme un ange cannibale
Odile Jacob, 2002, 202 pages, 20 €.

Il y a en France deux à trois cent mille toxicomanes. On parle de dangerosité, tout d'abord pour soi-même. Ainsi prend place le pouvoir médical, qui prétend savoir théoriquement la cause de toute toxicomanie et qui ordonne des substitutions : méthadone, tranquillisants, neuroleptiques. C'est bien cadré. Il y a aussi une dangerosité pour les autres. C'est ainsi que le pouvoir judiciaire doit protéger famille et société en internant le toxicomane. Or Claude Olievenstein, le fondateur, il y a trente ans, du Centre Marmottan, a ouvert une troisième voie ; il en témoigne dans cette interview avec un collègue. Chaque psychopédagogue doit écouter un toxicomane selon sa singularité, c'est-à-dire en fonction de trois paramètres. Tout d'abord, tel produit choisi : les effets de la cocaïne, du cannabis, de l'héroïne, du haschisch, de l'alcool, du tabac, ne sont absolument pas comparables. De même, la personnalité du sujet est variable, selon telle intensité de recherche de plaisir, dans le refus du manque et de la solitude. Enfin, le troisième facteur concerne le contexte socio-culturel : dans un monde où le sacré a disparu, la réponse à inventer diffère selon chacun pour combler ce vide, en trouvant les lieux et les moments euphorisants et exaltants, comme les « raves », ces fêtes entre amis où, selon les cas, danse et musique peuvent ou non prendre place sans la drogue partagée. Ainsi le véritable accompagnant est celui qui tient compte de la différence entre chacun, telle qu'elle est verbalisée à deux ou en groupe, pour conduire le toxicomane à donner un but à sa vie et à s'y tenir.

Philippe Julien

Agnès BENASSY-QUÉRÉ, Benoît CŒURE
Economie de l'euro
La Découverte, coll. Repères, 2002, 124 pages.

Le titre pourrait laisser croire à une présentation des institutions et des mécanismes de l'Union monétaire européenne ; il n'en est rien. La cible est l'analyse de la politique monétaire de la Banque centrale européenne depuis le 4 janvier 1999, lorsque l'euro s'est substitué aux monnaies nationales. Les effets de cette politique, sur l'emploi, sur l'équilibre des budgets publics nationaux et sur les relations économiques internationales sont examinés avec précision, dans l'esprit de cette collection de bonne venue. Le résultat de l'analyse est particulièrement nuancé. Les auteurs sont parfaitement conscients des handicaps d'une Europe au milieu du gué, d'une Banque centrale focalisée, de par ses statuts, sur la lutte contre l'inflation, alors même que les rattrapages de croissance induisent nécessairement, dans les pays les plus faibles, une hausse des prix supérieure à la moyenne européenne – sans parler des difficultés à venir lors de l'intégration des prochains nouveaux membres. Bref, ils soulignent combien la Banque centrale européenne serait en droit de reprendre l'antienne du baron Louis : « Faites-moi de la bonne politique, et je vous ferai de la bonne finance. »

Etienne Perrot

Philosophie

Jean-Christophe BARDOUT, Olivier BOULNOIS
(sous la dir. de)
Sur la science divine
PUF, coll. Epiméthée, 2002, 470 pages, 42 €.

Les textes traduits et présentés ici offrent un parcours éclairant la question de la « science divine » : autrement dit, la connaissance que Dieu peut avoir de notre monde. Cette problématique trouve ses racines chez Platon et Aristote, atteint son apogée au Bas-Moyen-Age et prolonge son argument dans la modernité. Ce recueil met en lumière les métamorphoses de la conception du monde face à Dieu au fil de l'Histoire : un monde qui, en raison de sa multiplicité changeante, ne peut être connu par l'Un immobile ; un monde qui, grâce à sa précontenance dans l'intellect divin, est connu par Dieu dans l'acte même par lequel il se connaît ; un monde qui, graduellement, commence à être autre devant Dieu qui le contemple. Ces questions propres à la science divine reviennent sous un angle « dé-théologisé » chez les philosophes modernes tels que Descartes, Spinoza, Malebranche et Leibniz. On pourrait penser que le dépouillement de la couche théologique de ces interrogations s'est fait avec l'âge moderne. C'est justement cette vision hâtive que conteste le recueil réalisé par Jean-Christophe Bardout et Olivier Boulnois. Les conclusions sont claires : c'est dans la scolastique elle-même que le monde devient autre que Dieu, Dieu ne le connaissant plus en se connaissant lui-même. Le parcours proposé permet de comprendre comment les théologiens du Moyen-Age ont commencé « à dédiviniser progressivement les idées et la science, au point d'annuler l'écart originellement constitutif entre science divine et savoir humain » (p. 55). L'historiographie devra dorénavant tenir compte de cet ouvrage, qui jette une nouvelle lumière sur les concepts de science et de raison dans la philosophie occidentale, d'autant plus que son argumentation s'appuie sur un recueil dense et complet d'auteurs reconnus ou injustement ignorés, tels : Pierre de Jean Olivi, Thomas Bradwardine, Grégoire de Rimini ; et les jésuites espagnols de la scolastique tardive : Gabriel Vasquez et Sebastian lzquierdo.

Sebastian Maxim

Ludwig BINSWANGER
*Trois formes manquées
de la présence humaine*
Traduit de l'allemand par J.-M. Froissart.
Le Cercle Herméneutique, Paris, 2002,
228 pages, 23 €.

Plus que jamais, à l'heure où voudraient régner quasi sans partage les positivismes s'autorisant de leur seule capacité à réussir, il est important de revenir à ceux qui auront su s'attacher, par sens du questionnement, aux problématiques fondamentales concernant l'être-homme. Les œuvres de Binswanger, reconnues et introduites en France par des personnalités aussi différentes que Minkowski, Foucault, Ey, Fédida ou Maldiney, font doucement leur chemin grâce à des éditeurs courageux et des traducteurs ingénieux. Parues en 1949, 1952 et 1956, ces trois études confrontent le traducteur à de multiples niveaux de langage (psychiatrique, philosophique, littéraire, populaire et celui propre à l'auteur lui-même) qu'il aura dû surmonter, afin de rendre un texte savant et néanmoins accessible. Etre au monde, à autrui et à soi, ces trois dimensions fondamentales de la présence peuvent, dans la présomption, la distorsion ou le maniérisme (auxquels sont consacrées ces études), connaître des ruptures que l'approche phénoménologique (husserlienne et heideggérienne) permet de comprendre avec rigueur et subtilité. Les analyses concrètes de « cas » ne sont jamais séparées de considérations proprement philosophiques ; cela fait la richesse et l'intérêt, même pour les non-spécialistes, de ces analyses et leur donne des dimensions multiples (historiques, esthétiques, anthropologiques), et non pas seulement psychopathologiques. Praticiens de l'es-

134

prit, philosophes, hommes de culture auront beaucoup à apprendre à la lecture de ces pages attentives aux « formes manquées », que notre difficile présence au monde rencontre si souvent.

Francis Wybrands

Serge Meitinger (sous la dir. de)
Henri Maldiney :
une phénoménologie à l'impossible
Le Cercle Herméneutique, coll. Phéno, 2002, 220 pages, 18,30 €.

La présence discrète et insistante de l'œuvre de Henri Maldiney met à mal ceux qui confondent philosophie et généralités rassurantes. Les douze textes réunis dans ce volume témoignent de l'irréductibilité de paroles et d'écrits dont le savoir n'a pour but que de s'approcher au plus près de l'expérience de chacun d'entre nous. « A l'impossible... », ce syntagme déroutant doit être décliné dans tous les champs que laboure l'expérience humaine esthétique (sensible et artistique) : existentiel (normal et/ou pathologique – même si l'auteur n'a cessé de remettre en cause ce partage commode), langagier... Exister, c'est « être à l'impossible », c'est-à-dire ouvert à l'imprévisible de la rencontre qu'aucun savoir préalable ne laisse supposer. Existence risquée, toujours susceptible, comme les pas du marcheur ou du grimpeur, de glisser hors, de se perdre. C'est l'ensemble des travaux de l'auteur qui est ici parcouru : recherches sur l'art, le langage, la folie, témoignent d'une cohérence que la lecture des textes pris un à un aurait pu faire oublier. Cohérence qui tient à un style particulier, âpre, dense, rocailleux, demandant beaucoup au lecteur, mais lui donnant en retour un surcroît de bonheur. Lire Maldiney, c'est accepter d'être mis à l'épreuve et, dans cette épreuve, entendre le décisif qui pourra bouleverser nos façons de voir, de sentir et d'habiter. Il est à souligner que tous les articles de ce nécessaire recueil, chose rare, sont à la mesure de ce à quoi ils ont eu prétention à ouvrir.

Francis Wybrands

Gilles Deleuze
Francis Bacon
Logique de la sensation. Le Seuil, coll. L'ordre philosophique, 2002, 160 pages, 21,5 €.

Ces chairs lourdes, qui tiennent mal dans leur forme, sanguinolentes, écartelées, « crucifiées » par des forces qui viennent non pas de racines mais de rhizomes, toute cette viande des abattoirs et des massacres, à grande ou à petite échelle, l'Irlandais Bacon les montre jusqu'à heurter. Toujours guidé par Spinoza, « le Christ des philosophes », Deleuze en donne une interprétation étourdissante. Tout repose sur la distinction entre l'espace « optique » et l'espace « haptique » : d'un côté ce que l'on voit, maîtrise, le spectacle à distance, la *perception*, le corps savant ; de l'autre, ce que l'on touche, un flux, des forces, de l'indifférencié, le corps anonyme et barbare, « hystérique » dit Deleuze, habité par autre chose que l'organe, « somnambule à l'état de veille », la *sensation*. C'était déjà Cézanne : « rendre visibles la force de plissement des montagnes, la force de germination de la pomme, la force thermique d'un paysage ». Comme toujours, Deleuze forge des notions pour apprendre à voir : la figure, le contour, l'aplat et les mouvements : la contraction du corps sur lui-même *et* la dispersion, l'essor *et* le recourbement sur soi, le corps lové, le corps qui éclate, qui souffre toujours... « l'Etre qui se désagrège dans l'océan du multiple ». Ce livre étonnant annonce, bien sûr, *Le Pli. Leibniz et le baroque* (1988) et les deux ouvrages sur le cinéma : *L'Image-mouvement* (1983) et *L'Espace-temps* (1985). Quelle belle chose que de voir le philosophe attentif à ce qui vient dans le phénomène et à ce qui complique beaucoup le phénomène que nous donne la peinture.

Guy Petitdemange

Bernard Sève
L'Altération musicale
Seuil, 2002, 370 pages, 25 €.

La musique et la philosophie auront fait mauvais ménage depuis Platon, même si ce dernier lui accordait une place formatrice des citoyens dans la cité juste. Les esthéticiens modernes (depuis le milieu du XVIIIe siècle) lui auront consacré peu de place dans leurs recherches (Adorno, Jankélévitch, Raymond Court ou Daniel Charles et quelques autres font figures d'exceptions). Comme si l'un des arts les plus fondamentaux, à la fois le plus populaire et le plus savant, devait nécessairement échapper à l'emprise du concept. Le livre de Bernard Sève, philosophiquement et musicalement rigoureusement informé, vient rompre ces silences et offrir de multiples pistes, afin de mettre en perspective écoutes ou pratiques avec la réflexion. La notion d'altération va servir de fil conducteur ; en elle, c'est « le rapport qui lie la variation musicale et la temporalisation » qui est en jeu. Devenir-autre de la matière musicale qui ne se répète jamais identiquement et devenir-autre de celui qui écoute et par là-même devient autre, entretissent leurs motifs. C'est sur le musical, débordant la musique au sens strict, que ces analyses veulent faire fond. L'expérience de l'altération est rendue sensible de façon exemplaire par la musique, mais elle est présente dans toute expérience humaine (du temps, de l'affectivité, du corps, de la parole...). « Expérience altérante et désaltérante de la musique, expérience vive : chanter, écouter, jouer », expériences constitutives de tout exister qui méritent bien le détour, parfois ardu, jamais abscons, par ces pages riches de savoir et de sensibilité.

Francis Wybrands

Salomon MALKA
Emmanuel Levinas
La vie et la trace. Jean-Claude Lattès, 2002, 320 pages, 20 €.

De Emmanuel Levinas, dont il fut l'élève (à l'Ecole Normale Israélite Orientale), l'ami et l'interprète, Salomon Malka présente un portrait vivant et fervent, fruit d'une longue familiarité, d'une patiente enquête et de nombreux témoignages. Son récit ne fait pas double emploi avec la biographie historique et documentée de Marie-Anne Lescourret. Car il a choisi de laisser parler le philosophe et ceux qui l'ont connu. Il en résulte une évocation prise sur le vif, pleine d'anecdotes et entourée de toute une galerie de figures contemporaines, dont Blanchot, Jean Wahl, Chouchani et Castelli, où ne manquent comme grands amis que le Père Van Breda et son compère Alphonse De Waelhens. Malka a suivi la trace de Levinas dans ses déplacements et surtout dans les cœurs. C'est Levinas remémoré qui nous est ainsi conté d'un style alerte : l'étudiant, le prisonnier, le directeur, le penseur, le talmudiste, l'enseignant... C'était un personnage attachant et désarmé, opiniâtre et bon... Son œuvre est à son image, et elle n'a pas fini de rendre les hommes meilleurs. Quelques bévues dans l'orthographe des noms propres n'ont pu être corrigées à temps.

Xavier Tilliette

Dominique JANICAUD
Heidegger en France
II : *Entretiens*. Albin Michel, coll. Idées, 2001, 294 pages, 21,34 €.

Dominique Janicaud, notre ami, philosophe de grande classe, est mort accidentellement, jeune encore, avant de connaître le succès de son livre. Ces *Entretiens* font suite à un premier volume, *Récit*, qui malheureusement ne m'est pas parvenu. Dominique Janicaud, par le choix de ses interlocuteurs, par la pertinence de ses questions, a surmonté les obstacles inhérents à ce genre d'ouvrage : la dispersion et la répétition. La mise en forme est très soignée et la lecture passionnante, que l'on soit favorable ou non à Heidegger et à son thuriféraire Jean Beaufret, embusqué ici sous surveillance. Aucun des interviewés n'a démérité, certes. Heidegger est un morceau de leur vie et ils ne dissimulent pas cette vibration que la voix répercute. Très subjectivement, je donnerais une palme à Gérard Granel (trop court, hélas !) et une autre à Philippe Lacoue-Labarthe, le seul qui replace Heidegger dans son milieu originel : Stefan George, Hellingrath, Max Kommerell. C'est la cellule-mère de la mentalité de *Sein und Zeit*. L'affectivité et l'esprit partisan s'en étant mêlés, il est très difficile d'évaluer les chances et l'avenir de cette philosophie heideggérienne, belle et stagnante comme une eau morte aux feux du soir. Il reste étrange et irritant que les deux mots-clefs de la pensée tardive, *Gestell* et *Ereignis*, soient intraduisibles – et peut-être incompréhensibles.

Xavier Tilliette

Jean-Yves CALVEZ
Chrétiens penseurs du social
Maritain, Mounier, Fessard,
Teilhard de Chardin, Lubac. Cerf, 2002,
208 pages, 30 €.

Afin de ne pas être surpris par le contenu de cet ouvrage, il faut prêter attention à son titre. L'auteur ne présente pas seulement les portraits de cinq hommes du XXᵉ siècle, mais, à travers eux, c'est un « milieu » qu'il vise, celui des « années trente ». Ces cinq penseurs – philosophes, théologiens ou paléontologue – ont cherché, chacun à sa manière, à comprendre le « social » en tant qu'il est la forme de notre déploiement. L'intérêt du livre de J.-Y. Calvez est tout d'abord dans le rapprochement – inhabituel quant au sujet traité – des penseurs considérés. On appréciera, en particulier, la place centrale donnée à la pensée de Fessard qui permet, d'une part, d'apprécier la distance qui le sépare de ceux qui, dans l'ouvrage, le précèdent (Maritain et Mounier) et, d'autre part, de mieux mettre en lumière certains « aspects sociaux » des œuvres de P. Teilhard de Chardin et de H. de Lubac. Le second intérêt du livre est d'introduire, non pas à une « école » – les penseurs présentés sont trop différents les uns des autres –, mais à la manière dont certains penseurs catholiques ont réfléchi à la société, « dans un rapport direct avec leur

foi ». J.-Y. Calvez montre ainsi comment les uns eurent à se démarquer des thèses de l'Action Française, et les autres à se situer par rapport au fascisme, au nazisme et au communisme. Tout cela est écrit très clairement, ce dont on peut se réjouir. On appréciera pareillement que, dans un premier appendice, soit donné un aperçu sur trois penseurs (italien, allemand et américain) et, dans un second, quelques pages sur Barth, Bonhoeffer et plusieurs autres théologiens protestants.

Philippe Lécrivain

Simone WEIL
La Condition ouvrière
Présentation et notes par Robert Chenavier.
Folio/Gallimard, 2002, 524 pages, 6,30 €.

Il n'y a plus, dit-on, de classe ouvrière. Les conditions de travail ne sont rien comparées à la peur de perdre son travail. La lutte de classes est une vieille lune ; aujourd'hui, la domination est pure, la pauvreté est à nos portes, mais elle est désarmée et ne menace personne. Le livre de Simone Weil ressemble à un écrit ethnographique. C'est le récit d'une année (1934) passée comme découpeuse sur presse chez Alsthom, rue Lecourbe, à Paris : « Ce contact avec la vie réelle a changé non pas telle ou telle de mes idées... mais infiniment plus, toute ma perspective sur les choses, le sentiment que j'ai de la vie », surtout l'apprentissage de l'oppression. Edition extraordinaire d'un texte qui passe pour d'une époque révolue, complétée d'annexes, par l'un des meilleurs connaisseurs de Simone Weil, Robert Chenavier, dont la synthèse, *Simone Weil. Philosophe du travail* (Le Cerf, 2001, 724 pages), recherche historique, philosophique et spirituelle, est sans aucun doute l'une des plus pénétrantes présentations de l'auteur, notamment de la confrontation avec Marx, c'est-à-dire de la relation matière-esprit, clef de l'œuvre mystique de Simone Weil.

Guy Petitdemange

Isabelle Stengers
L'Hypnose, entre magie et science
Les Empêcheurs de tourner en rond, 2002,
168 pages, 15 €.

Ce livre, dédié à la mémoire de Léon Chestov, s'élève contre l'arrogance du rationalisme et le défi d'avoir à reproduire dans le domaine des sciences humaines le modèle des sciences expérimentales. L'auteur interroge les bégaiements de l'histoire, de Mesmer à Charcot et au delà. Espoir déçu que l'hypnose donnerait une interprétation rationnelle à tous les phénomènes de transe. Freud, sensible à ce discrédit, n'a cessé d'affirmer que sa technique n'avait rien à voir avec l'hypnose. Son coup de génie serait d'avoir taillé sur mesure un inconscient « caractérisé par sa radicale non-complaisance ». Piège de la simulation, qui requiert du thérapeute un humour pragmatique. Lacan aurait eu cet humour. L'intérêt majeur de la cure, pour lui, serait de découvrir que l'analyste, « supposé savoir », ne sait pas découvrir la vanité de tout savoir positif. Il faudrait, pour étudier l'hypnose, le même humour et savoir « s'aventurer en dehors des territoires balisés par l'impératif de la preuve et hantés par la dénonciation des artefacts » ; refuser – comme l'ont tenté Chestov, Roustang, Whitehead et beaucoup d'autres cités ici – un déterminisme trop étroit. Par « blessure narcissique », pour avoir découvert que nous n'étions pas le centre du monde, par « passion antifétichiste » comme l'appelle Bruno Latour, nous exagérons les « Nous ne sommes que » – et la série est longue : « les véhicules de nos gènes, les prisonniers de notre langage, les produits de nos *habitus* de classe, les résultantes de nos traitements neuronaux d'information ». Un texte dont le tranchant laisse parfois perplexe, mais généreux, toujours prêt à rendre compte des marges, du nonconforme, des explorations ethno-psychiatriques de Tobie Nathan, d'une innovation scolaire dans le East Harlem, ou des techniques d'*empowerment* de « sorcières néopaïennes ». Une jeunesse d'esprit qui stimule.

Marianne Bourgeois

Jean-Marie Guyau
La Morale d'Epicure et ses rapports avec les doctrines contemporaines
Encre marine, Fougères, 2002,
400 pages, 30 €.

Jean-Marie Guyau, né en 1854 et mort à 33 ans en 1888, laisse une œuvre imposante, qui eut l'honneur d'avoir des lecteurs tels que Nietzsche (qui admirera *Esquisse d'une morale sans obligation ni sanction* – 1885) et Bergson, qui participera à l'édition posthume de *La Genèse de l'idée de temps*. Tout comme Nietzsche, il débuta en tant que philologue et consacra cinq années (1874-1879) à traduire, éditer et commenter les philosophes de l'Antiquité. C'est son grand livre sur Epicure, publié en 1878, issu d'un travail antérieur sur l'auteur, qui est aujourd'hui splendidement réédité (précédé d'une étude de Gilbert Romeyer Dherbey, et introduit par une note explicite de Jean-Baptiste Gourinat, qui a aussi traduit les nombreuses citations). Plus que la physique matérialiste d'Epicure, c'est avant tout sa « morale utilitaire » qui le retient, ses préoccupations n'étant point celles d'un historien soucieux de reconstituer de l'extérieur un système, mais celles d'un « généalogiste » attentif à recréer l'archéologie interne d'une pensée. Si Epicure peut encore intéresser les modernes, c'est parce que sa pensée était déjà grosse des questions qui se posent dans nos sociétés laïques. Le présent éclaire le passé, contrairement à ceux qui pensent à courte vue. Mais le passé est riche de clefs qu'il faut encore et toujours déchiffrer. Les deux parties qui composent cette thèse sont complémentaires : Epicure bien lu – en et pour lui-même – permet de comprendre pourquoi il aura eu tant d'échos dans la pensée moderne et pourquoi il est important de reprendre, à nouveaux frais, son questionnement. Lecture active, progressive, stimulante, dont le jeune Guyau, magnifiquement servi par cette édition, incite à sans cesse refaire le parcours.

Francis Wybrands

138

Questions religieuses

Patrick SBALCHIERO (sous la dir. de)
Dictionnaire des miracles et de l'extraordinaire chrétien
Fayard, 2002, 882 pages, 59 €.

Historien, collaborateur de l'Ecole cathédrale de Paris, Patrick Sbalchiero – aidé par un groupe de conseillers, en particulier par René Laurentin qui préface le *Dictionnaire* – a su réunir un large bataillon de compétences pour la réalisation de cet ensemble impressionnant (on peut ajouter que Sbalchiero a assuré lui-même bon nombre de contributions, nécessaires à l'équilibre du tout). Les collaborateurs sont divers, certains se voulant proches des phénomènes évoqués et des dévotions qui s'y lient, d'autres se tenant plutôt à distance – disons en sympathie critique. En général, le *Dictionnaire* résume les études existantes ; parfois, cependant, la contribution est originale. Les sujets abordés forment un large éventail. Des personnes tout d'abord, bien sûr : saints et saintes, ou figures singulières, aux frontières du christianisme ; les auteurs spirituels classiques, ensuite, anciens ou récents ; voire, enfin, des théologiens ou philosophes (Karl Barth, Bergson, Blondel...), et des historiens (le Père Adnès, dont sont rappelées les grandes contributions au *Dictionnaire de Spiritualité,* Jean Baruzi, Henri Bremond, Michel de Certeau...). Une intéressante contribution sur Jean Paul II et la tradition spirituelle s'achève – certains en seront surpris – par une citation de Certeau. Des thèmes, parallèlement, font l'objet de monographies plus ou moins développées, comportant souvent une réflexion par rapport à la psychiatrie et à la médecine moderne ; je cite, par exemple, l'étude sur les stigmates et celles, plus générales, bibliques aussi et théologiques, sur le miracle. On peut être intéressé, principalement, par le vaste tableau qui est consacré – sous le point de vue des choses extraordinaires – aux figures de la sainteté chez les catholiques. Mais les Eglises orientales ont reçu un traitement assez développé, et aussi (de façon relativement plus limitée, me semble-t-il : ainsi la figure de Blumhardt aurait pu être évoquée) les Eglises de type protestant. Un index analytique, personnes et thèmes, complète cet ouvrage, qui devrait avoir une large audience, et qui pourrait également être discuté sur certains points.

Pierre Vallin

Gregory J. RILEY
Un Jésus, plusieurs Christs
Essai sur les origines plurielles de la foi chrétienne. Traduit de l'américain.
Labor et Fides, 2002, 224 pages, 24 €.

On ne s'explique pas le succès du christianisme aux premiers siècles si l'on ne tient pas compte de la première perception qu'eurent de Jésus des personnes formées avant tout en monde gréco-romain : la perception d'un « héros » entraînant, traversant l'épreuve, comme... Achille, Asclépios, Dionysos. Les persécutions mêmes, du coup, ont favorisé le développement du christianisme. Au contraire, les idées diverses que l'on pouvait avoir sur Jésus « fils de Dieu » ou comme le plus parfait des hommes, mais créature seulement (à la manière arienne), n'ont guère eu d'importance. C'est la thèse majeure de cet ouvrage. A la fin, l'auteur dit : « Pour mon compte, je confesse que je suis incapable d'imiter les dieux. Et même si je le pouvais, je ne désirerais pas imiter les thaumaturges et les guérisseurs, du temps passé ou d'aujourd'hui. En réalité, si le Jésus de l'Eglise primitive avait ressemblé à cela, le christianisme n'existerait pas aujourd'hui. [En revanche] l'histoire de Jésus a pu donner sens et valeur à l'existence de tant de gens pauvres et souffrants [...] ils ont pris les mêmes risques que lui, l'ont imité et suivi jusqu'au tombeau, d'une certaine façon, qui était claire pour eux, mais ne l'est plus pour nous, Jésus était leur héros. » Même s'il faut noter le grand succès d'un tel livre aux Etats-Unis depuis 1997, et compte tenu de quelques remarques disant tout de même l'originalité *unique* de Jésus, l'argumentation demeure passablement étrange : où lit-on que les héros des mythologies aient engendré un mouvement religieux comme le christianisme, précisément ?

Jean-Yves Calvez

Gérard Israël
Volupté et crainte du Ciel
Peut-on se libérer du péché originel ?
Payot, 2002, 242 pages, 16,95 €.

Le péché originel est pour le Juif affaire typiquement chrétienne, venant de Paul et d'Augustin : de Paul, qui a besoin d'une faute initiale radicale, source de la mort, pour expliquer la résurrection salutaire en laquelle il croit ; d'Augustin, pour lequel le péché originel déborde sur la sphère sexuelle, la sphère de la génération, pour passer des parents aux enfants, sans fin, jusqu'à la résurrection du Christ (qui en est exempté, de même que sa Mère). Dans le monde hébraïque, la faute d'Adam, bien réelle, est de moindre conséquence... Mais, dans l'ouvrage de G. Israël, il y a, simultanément, l'allusion à une relation, comme à une connivence, de ce mal – voire de cette culpabilité – à la liberté, à la création, à la beauté. D'où la dernière phrase de l'ouvrage (après un long passage sur Baudelaire et *Les Fleurs du mal*) : « Peut-on se risquer à écrire qu'il eût été dommage que le péché d'Adam, le péché d'Eve, ne fussent pas commis ? » Tout n'est pas éclairé, au terme du livre, riche de tant d'informations et de réflexions. Demeure une question, sur laquelle les chrétiens ont, pour leur part, récemment parlé avec peu d'assurance, tout en sachant qu'ils ne peuvent s'en défaire : sans doute peut-on renoncer à une part d'Augustin, mais beaucoup moins facilement à saint Paul. Le Juif lui-même, d'ailleurs, peut-il si aisément supposer que le messianisme n'avait de rapport qu'à une restitution temporelle, et qu'il n'en a pas à la grande œuvre que

Paul voit accomplie en Jésus ressuscité ? Le débat est tout entier passionnant, vital, aussi incertains que nous demeurions.

Jean-Yves Calvez

Théolepte de Philadelphie
Lettres et Discours monastiques
Lettres traduites par un moine orthodoxe. *Discours* traduits par S. Salaville et M.-H. Congourdeau. Introduction, notes, bibliographie, guide thématique et index par M.-H. Congourdeau. Migne, coll. Les Pères dans la foi, n° 81-82, 2001, 320 pages, 22,87 €.

L'ouvrage présente les écrits de Théolepte (1250-1322), qui fut évêque de Philadelphie (plusieurs fois assiégée par les Turcs) et qui, à certaines heures, exerça une grande influence dans la cité de Constantinople. Ces écrits portent avant tout sur la vie monastique, et donnent un enseignement qui intègre divers courants de la spiritualité orientale. Suivant la tradition de l'« hésychasme », ils disent l'importance de l'attention, du recueillement et de la vigilance intérieure ; ils insistent sur cette forme de prière qu'est l'invocation répétée du nom de Jésus, ouvrant elle-même à la contemplation et à l'union.

Michel Fédou

Dominique-Marie Dauzet
Petite vie de sainte Foy
Desclée de Brouwer, 2002, 124 pages, 10 €.

L'auteur, prêtre de l'ordre de Prémontré et enseignant d'histoire contemporaine, présente de façon solide le développement du culte de sainte Foy au monastère de Conques, puis dans de nombreuses régions du monde catholique, de paroisses françaises aux Santa Fe américains. Jeune martyre de la dernière persécution, à Agen au début du IVe siècle, sainte Foy vit son culte transféré à Conques grâce au vol de ses reliques par un moine habile. Ces circonstances sont sobrement et aimablement décrites, comme d'autres encore concernant le culte de la jeune sainte, les formes de sa célébration, les œuvres miraculeuses qui ont été attachées à son nom, voire à sa présence, quand elle se montrait intervenant auprès de malheureux, de captifs en particulier. La collection « Petite vie... » comporte déjà de nombreux livres bien réussis ; on peut recommander celui-ci à des fidèles, et aux touristes aussi.

Pierre Vallin

Kamel CHACHOUA
L'Islam kabyle (XVIIIe-XXe siècles)

Autour de la Rissala (épître) : « Les plus clairs arguments qui nécessitent la réforme des zawaya kabyles », d'Ibnou Zakri (1853-1914), clerc officiel dans l'Algérie coloniale.
Publiée à Alger, aux Editions Fontana, en 1903. Maisonneuve & Larose, 2002, 450 pages, 26 €.

Dirigé par Fanny Colonna, cet ouvrage est une thèse de sociologie religieuse. « L'intention de ce travail est [...] de montrer, à l'aide de la sociologie religieuse et historique, mais aussi intellectuelle dans le champ scolastique kabyle, l'histoire d'une automutilation et d'une autodestruction systématique en cours encore de nos jours » (p. 11). Dans une première partie, l'auteur renouvelle l'étude de la *zawiya* (pluriel : *zawaya*) kabyle (confrérie religieuse). Cette institution, en effet, a « structuré et influencé la société à tous les niveaux » ; il s'agit, dès lors, de comprendre près de deux cents ans d'histoire sociale de la Kabylie, « une région pourtant vue et désignée comme l'une des plus *impossibles à Dieu*, dans le monde arabo-musulman » (p. 43). Dans la deuxième partie, l'auteur a « placé le matériau principal de cette recherche », la *Rissala* d'Ibnou Zakri – personnage intéressant. Kamel Chachoua évoque d'abord la trajectoire de ce « penseur exceptionnel et original ». « Il avait bien compris et parfaitement formulé les problèmes qui se posaient à la Kabylie de son époque et même d'après. Nous ne croyons d'ailleurs pas abuser en disant que les questions qu'il avait posées, comme, par exemple,

celle concernant l'école, demeurent d'actualité et agitent encore les élites et la masse des Kabyles. Rappelons-nous la "grève des cartables" de 1994, qui a coûté à chaque enfant et étudiant kabyle une année, mais aussi cet éternel problème linguistique qui n'a rien, au fond, de linguistique tant il est d'ordre socio-politique » (p. 302). Les thèmes essentiels (ch. 6) de la lettre (*Rissala*) en question sont ensuite présentés (le texte – arabe et français – de ladite *Rissala* est donné en annexe). Enfin, la troisième partie traite de « l'après-Ibnou Zakri : de l'Islam républicain à la République islamique », occasion pour l'auteur d'évoquer, outre la figure d'Ibn Badis (ch. 2), le mouvement réformisme (*islah*) algérien et ses répercussions sur « l'idéologie des maquis et de l'Etat indépendant » (ch. 3). Le dernier chapitre (ch. 4) est suggestif : il « tente de démentir l'alibi religieux du discours et des pratiques des agents religieux à travers l'exemple de la presse néo-réformiste des années 1990, du prône hebdomadaire du vendredi (le prêche de la *djumuâa*), du témoignage d'un jeune "islamiste", et une "ethnographie socio-religieuse" de la fonction d'imam dans la Kabylie de cette fin de siècle » (p. 279). Au fond, ces « agents religieux » « ont fini par être parfois inconsciemment contraints de penser avec et pour la religion, de ne se croire en règle avec eux-mêmes qu'à travers les prescriptions religieuses et de chercher à *prouver* que la religion est "tout", même et surtout en direction de ceux qui affirment qu'elle n'est *rien* ». Corrosif, l'ouvrage de Kamel Chachoua apporte une pièce utile dans un débat brûlant, « celui qui tourne autour de la prétendue désislamisation des Berbères » ; il montre « l'assujettissement progressif de l'Islam » à la lutte nationaliste ; il éclaire « la manière dont l'islamisme prend ses racines dans un désert culturel et éthique ».

Alain Feuvrier

Gérard LOPEZ
Le Non du fils

Une expertise psychosociale des évangiles.
Desclée de Brouwer, 2002, 194 pages, 19 €.

Cet ouvrage est écrit par un psychiatre expert en victimologie, sur laquelle il a publié plusieurs livres, spécialement sur les violences sexuelles. Mais cette fois il s'agit de faire l'expertise des évangiles, expertise ni théologique ni ecclésiale, mais psychosociale. Jésus est un fils qui a dit *non* aux pères terrestres, autorités politico-religieuses des pharisiens et des docteurs de la Loi. Il a soulevé la foule en disant : « N'appelez personne votre père sur la terre » (*Mt.* 23,9). Mais ce que nous apprend le psychosocial, c'est qu'en retour le fils révolté est condamné à mort. René Girard nous en a montré la symbolique : chaque fois que des autorités sont contestées, elles sauvegardent l'unité du peuple en répondant par la désignation publique d'un bouc émissaire à éliminer (ou à récupérer). Mais, ce que ce psychosocial-là nous fait rater, c'est que Jésus s'est soumis volontairement au sacrifice pour la rédemption de nos fautes : « Ceci est mon corps, livré pour vous ! » Or ce livre fait silence sur la nouveauté du non de Jésus. De même, passant à une seconde expertise, il est montré que Freud a fait l'inverse : la culpabilité n'est pas chez les pères, mais chez les fils qui, en raison de la sexualité infantile incestueuse, portent leur haine contre le père. Freud sauve le père et charge le fils. L'auteur s'élève là contre et regrette amèrement que Freud ait abandonné en 1897 la théorie de la séduction traumatisante venant de l'adulte. C'est pourquoi il dit non au père de la psychanalyse. Sera-t-il pour autant victime en retour ? Espérons que non.

Philippe Julien

Jean-Claude ESLIN
Saint Augustin. L'homme occidental
Michalon, 2002, 122 pages, 9 €.

Comment, sans tronquer, présenter l'œuvre écrasante et la vie d'Augustin, ce prodige d'intelligence, de sensibilité, de culture, d'exigences sur tous les plans, le mouvement perpétuel d'une vie qui passe, de conversion en conversion, des cercles élitistes de Mani et de Plotin à l'animation de l'Eglise concrète dans un empire romain à son déclin, mais dont la puissance et la beauté restaient un défi malgré toute l'ironie mise à le ramener à une « cité terrestre » ? Dans un court livre très vif, Eslin choisit un angle : avec Augustin naît l'homme occidental, celui du Je, du temps, de la mémoire, de la parole vive – comme l'est si superbement l'Ecriture –, hors de l'obsession grecque de l'équilibre cosmique. Sûr de sa thèse et de sa connaissance de l'auteur, qui offre comme toujours des citations étincelantes, Eslin se concentre sur trois points : la philosophie, l'homme, la société. Des axes majeurs forment un relief : le désir, le bonheur, l'honneur de la création, l'unicité du Christ. On pressent sur l'horizon les grandes reprises à venir, Luther, Pascal, Hegel, Kierkegaard, Heidegger, Przywara. Partout des contrastes et des stimulations sans cesse recommencés sur 1 600 ans. Toujours Augustin irrite et emporte, grande et étrange figure de nous-mêmes.

Guy Petidemange

Blandine-D. BERGER
Madeleine Daniélou (1880-1956)
Ed. du Cerf, 2002, 336 pages, 25 €.

La cause de la femme autant que celle de l'école doivent beaucoup à la fondatrice des célèbres réseaux d'établissements Sainte-Marie et Charles-Péguy. Agrégée de lettres classiques (l'une des premières), Madeleine Daniélou refusait que les filles n'eussent droit qu'à un enseignement au rabais. Une pédagogie ouverte et novatrice, un dynamisme infatigable, une inventivité permanente caractérisent ses réalisations. En pleine période d'anticléricalisme, elle dota l'enseignement catholique d'un de ses fleurons, appuyée par un mari qui, à l'Assemblée, siégeait à gauche et fut ministre d'Aristide Briand ! Mère de six enfants, dont un cardinal jésuite, elle fonda et inspira, sa vie durant, une communauté d'éducatrices consacrées à Dieu. Les contrastes abondent, on le voit, dans cette existence si pleine en dépit d'une santé précocement chancelante. Le secret d'une telle fécondité tient sans doute dans une vie mystique sur laquelle la biographe, membre de la communauté Saint-François-Xavier, ménage de sobres aperçus. Ce récit vivant et bien documenté résiste à la tentation de l'hagiographie comme au culte de l'anecdote.

Dominique Salin

Charles WACKENHEIM
Quand Dieu se tait
Cerf, 2002, 190 pages, 22 €.

Le christianisme se réfère à un Dieu qui « a parlé » ou qui « parle ». Mais l'auteur, attentif à l'expérience d'un « silence de Dieu » dans les situations les plus tragiques du xxᵉ siècle, se propose d'interroger à frais nouveaux ce thème de la « parole » divine : en quel sens peut-on dire que Dieu nous parle « par la création, par ses témoins, par l'histoire, par la Bible, en Jésus Christ et par l'Eglise » ? Le parcours conduit finalement à demander si notre image de Dieu ne gagnerait pas à intégrer résolument la métaphore d'un Dieu qui se tait (p. 172). Certes, l'objection ne tarde pas : l'insistance sur le silence de Dieu ne porte-t-elle pas atteinte à la Révélation biblique et à son enracinement historique ? Mais l'auteur tient que la métaphore du silence ne met nullement en cause la foi au Verbe de Dieu fait homme, qui est « la parole de Dieu en personne » (p. 184), pas plus qu'elle ne disqualifie le rôle de la parole humaine dans la structuration de l'expérience croyante. S'il en est ainsi, il est du même coup paradoxal de privilégier à ce point l'expression « silence de Dieu »... Du moins cette insistance peut-elle purifier certains de nos langages, et la dernière page précise que,

si Dieu se tait, c'est en vertu de son « amour créateur » : « Il s'efface pour libérer la parole et l'action de sa créature » (p. 188).

Michel Fédou

Michel HENRY
Paroles du Christ
Seuil, 2002, 158 pages, 15 €.

Rédigé par Michel Henry dans les derniers mois de sa vie, cet ouvrage posthume a valeur de testament. Il signe la fin d'un long itinéraire de pensée, en même temps que la confession d'un philosophe croyant. Ces *Paroles du Christ,* puisées sans intermédiaires à la source, redonnent le goût de l'Evangile, mais la Révélation divine qu'elles profèrent trouve un écho extraordinaire dans une philosophie de la vie et de la chair qui s'en est depuis toujours inspirée. Si *C'est moi la vérité* présentait la philosophie du christianisme, *Paroles du Christ* expose une christologie philosophique d'une grande pureté. La philosophie johannique de Fichte était beaucoup moins dépendante du texte sacré. Au nom de l'immanence du Christ comme Verbe à toute vie humaine, c'est tout être humain qui est fils de Dieu, né surnaturellement d'une seconde naissance et fils dans le Fils Premier-Né. Le « langage du monde », que l'on est bien obligé d'employer, conduit, à force de paradoxes, à la vérité sise au tréfonds du cœur. Pour l'exégète de métier et le théologien de profession, le mode d'expression est peut-être une gnose, mais c'est une « archi-gnose », une gnose chrétienne. Puisse la voix qui s'est tue se faire entendre encore !

Xavier Tilliette

POUR VOUS ABONNER
OU ABONNER UN AMI À

Plus de 20 % de réduction
(par rapport au prix de vente au numéro)

FRANCE* : ☐ 1 an, 11 nos - 85 €   ☐ 2 ans, 22 nos - 152 €

au lieu de 110 €, soit 25 € d'économie   *au lieu de 220 €, soit 68 € d'économie*

2 nos gratuits   plus de 6 nos gratuits

Soutien : ☐ 1 an - 137 €   ☐ 2 ans - 256 €

Etudes - Autorisation 13 - 75803 Paris cedex 08 - Tél. : 01 44 21 60 99 - Fax : 0 803 803 814

▦ **BELGIQUE :**   ☐ 1 an - 95 €   ☐ 2 ans - 160 €

Dipromedia - Rue de Bruxelles, 61 - B-5000 Namur
Tél. : 081/22 15 51 - Compte bancaire 775-5939663-83

▦ **SUISSE :**   ☐ 1 an - 175 FS   ☐ 2 ans - 325 FS

Etudes - C.P. 496 - CH - 1920 Martigny
Tél. : 027 722 36 03 - CCP 19-7775-0

▦ **AUTRES PAYS :**   ☐ 1 an - 105 €   ☐ 2 ans - 187 €

Etudes - Autorisation 13 - 75803 Paris cedex 08

> **SUPPLÉMENT ANNUEL AVION :**
>
> Europe (moins la CEE)
> Algérie, Maroc, Tunisie : 4,27 €.
> Afrique francophone, USA,
> Canada, Proche-Orient : 10,67 €.
> DOM : 14,64 €.
> Autres pays d'Afrique,
> Amériques, Asie : 17,53 €.
> TOM, Océanie : 28,97 €.

Tarifs valables à partir de janvier 2003 - * TVA 2,1 % - Mêmes tarifs pour Afrique francophone à régime particulier.
(Cochez les cases correspondant à votre choix, merci.)

Renvoyez ce bulletin dûment rempli avec votre règlement à *Etudes*

☐ **Je m'abonne**   ☐ **J'offre un abonnement**

Nom (Mme, Mlle, M.) ⸻

Prénom ⸻

Adresse ⸻

Code ⌷⌷⌷⌷⌷ Ville ⸻

Pays ⸻ Profession ⸻

Règlement ci-joint (établi à l'ordre d'*Etudes*) :

☐ Chèque   ☐ CCP   ☐ CB : N° ⌷⌷⌷⌷ ⌷⌷⌷⌷ ⌷⌷⌷⌷ ⌷⌷⌷⌷ ⌷⌷⌷⌷   (carte bleue, ECMC, VISA)

Date d'expiration : ⌷⌷ ⌷⌷   Signature ▶

PAO : Assas Editions - Flashage : Compoflash - Impression : Imp. Saint-Paul, 55000 Bar-Le-Duc - CPPAP : 0507K 81595 - ISSN : 0014-1941
Dépôt légal à parution - Les noms et adresses de nos abonnés sont communiqués à nos services internes, à d'autres organismes de presse et
sociétés de commerce liés contractuellement à Assas Editions. En cas d'opposition, la communication sera limitée au service de l'abonnement.
Réf. 3981